人文武术精品书系

勿使前辈之遗珍失于我手
勿使国术之精神止于我身

薛颠

形意拳术讲义

上编

武学名家典籍丛书

薛颠武学辑注

薛颠·著
王银辉·校注

形意拳術講義 上编

北京科学技术出版社

感谢王占伟先生收藏并提供版本

出版人语

武术作为中华民族文化的重要载体，集合了传统文化中哲学、天文、地理、兵法、中医、经络、心理等学科精髓，它对人与自然和谐共生关系的独到阐释，它的技击方法和养生理念，在中华浩如烟海的文化典籍中独放异彩。

随着学术界对中华武学的日益重视，北京科学技术出版社应国内外研究者对武学典籍的迫切需求，于2015年决策组建了“人文·武术图书事业部”，而该部成立伊始的主要任务之一，就是编纂出版“武学名家典籍”系列丛书。

入选本套丛书的作者，基本界定为民国以降的武术技击家、武术理论家及武术活动家，而之所以会有这个界定，是因为民国时期的武术，在中国武术的发展史上占据着重要的位置。在这个时期，中、西文化日渐交流与融合，传统武术从形式到内容，从理论到实践，都发生了巨大的变化，这种变化，深刻干预了近现代中国武术的走向。

这一时期，在各自领域“独成一家”的许多武术人，之所以被称为“名人”，是因为他们的武学思想及实践，对当时及现世武术的影响深远，甚至成为近一百年来武学研究者辨识方向的坐标。这些人的“名”，名在有武术的真才实学，名在对后世武术传承永不磨灭的贡献。他们的各种武学著作堪称为“名著”，是中华传统武学文化极其珍贵的经典史料，具有很高的文物价值、史料价值和学术价值。

目前，“武学名家典籍”丛书，已出版了著名杨式太极拳家杨澄甫先生的《太极拳使用法》《太极拳体用全书》，一代武学大家孙禄堂先生的《形意拳学》《八卦拳学》《太极拳学》《八卦剑学》《拳意述真》，武学教育家陈微明先生的《太极拳术》《太极剑》《太极答问》。本套《薛颠武学辑注》收入了民国时期著名形意拳家薛颠先生于民国十八年（1929 年）至民国二十二年（1933 年）间出版的《形意拳术讲义》《象形拳法真诠》《灵空禅师点穴秘诀》三本著作，并附录金倜庵先生编著的《少林内功秘传》一部（该书讲解的易筋经练习法和少林五拳等内容对理解薛颠武学颇有帮助），共分为四册出版。薛颠对形意拳的贡献是继承和发扬，他的象形拳更是为形意拳独辟蹊径，他的几部著作，是形意拳研究和学习者不可绕过的经典。

这些名著及其作者，在当时那个年代已具有广泛的影响力，而时隔近百年之后，它们对于现阶段的拳学研究依然具有指导作用，依然被武术研究者、爱好者奉为宗师，奉为经典。对其多方位、多层面地系统研究，是我们今天深入认识传统武学价值，更好地继承、发展、弘扬民族文化的一项重要内容。

本丛书由国内外著名专家或原书作者的后人以规范的要求对原文进行点校、注释和导读，梳理过程中尊重大师原作，力求经得起广大读者的推敲和时间的考验，再现经典。

“武学名家典籍”丛书，将是一个展现名家、研究名家的平台，我们希望，随着本丛书第一辑、第二辑、第三辑……的陆续出版，中国近现代武术的整体风貌，会逐渐展现在每一位读者的面前；我们更希望，每一位读者，把您心仪的武术家推荐给我们，把您知道的武学典籍介绍给我们，把您研读诠释这些武术家及其武学典籍的心得体会告诉我们。我们相信，“武学名家典籍”丛书这个平台，在广大武学爱好者、研究者和我们这些出版人的共同努力下，会越办越好。

发愤著书（代序）

——2001 年薛颠武学再现事件追记

庚子年（1900 年）前，文化阶层约占全国人口的4%，那时看四书五经，识字便是知理，不是文盲，就一定是文化人。

庚子年后，废了四书五经，识字人日众，但文化阶层仍是4%，并无提高，欧美日学术汪洋灌入，错综复杂，难以辨析，文化门坎变高，识字不等于知理了。

在四书五经不再作为文化标准的时代，有些民众还认老理，出现一种奇特现象：有的人几乎是文盲，但接触他的人都认为他很有文化。民国武术家唐维禄近乎文盲，尚云祥将将能看报纸，凭着认识不多的字，半猜着看，如同中国人在日本街头能看懂告示牌的状况。

在新派人和老派人里，识字都不是有文化的标准了，老派人看，你的生活习惯、思维方式还是传统的，就是有文化了。唐维禄和尚云祥均被认为是比大学教授还文雅的人。

传统文化人要“发愤著书”，不是生了一肚子闷气而有了写书动力，“发愤”不是指在具体事上受了谁欺负，而是自认命薄，这辈子没有机会立功立名，那么就立言吧——发愤，是还有可努力的，那就努力吧。

"努力"一词不是清末时扒来的日文词汇，是唐朝高僧嘱咐徒弟的用语，要连用两遍，为"努力努力"，意思是"就是这个了，就是这个了，别弄丢了"。

习武人多属老派，老派人有发愤之志。李存义有一部著作，将前辈老谱和个人心得编纂在一起，友人帮忙成文，私家印刷本，传给嫡传弟子作身份证明，从未面世。尚云祥也有一部著述，友人帮忙成文，未印刷，稿本和手抄副本，(20世纪) 20年代末30年代初期，为防止泄露给驻京外国人而销毁。

历经战乱、政改、世变，李、尚著作希望还在世，或留惠于子孙，或当年帮忙成文的人留了底本，不必面世，还在就好。

薛颠则是另一种情况，他读书无碍，写文为难，由弟子润笔完成著书，没有泄密外国的顾忌。国难当头，他的观点是，公布于世后，对老祖宗的东西，中国人一定领悟得比外国人快，只要比外国人快就行了。

于是大写特写，全国发行，留下了今日可见的著作。

唐维禄老死乡野，尚云祥避官如避祸，从当年给薛颠著作写序的人看，他结交政界军界，多为翘楚，得到的社会信息不同，所以想法不同。

唐维禄没选择著书，选择当好传书的人，对师父李存义的那部私著，他全文背诵，传给我二姥爷李仲轩时，可以按页指明，哪页上都是什么话（此书二姥爷因遇难而失去，在《武魂》杂志谈起失书事后，有形意门派系声称他们还有)。

我年少时问过二姥爷，唐维禄既然能背诵、能识别段落，进一步把字一一认了，该是顺水推舟的事吧？二姥爷没解释，只说唐师傅“是没认成字”。年长后，看多了本应“顺水推舟”的事，往往都难办成。

比如薛颠著作。

听二姥爷说薛颠生平，感慨他武功盖世却命运多舛。二姥爷说，你多愁善感是你的事，跟薛颠没关系，戏台上的人物都是忽亨忽灭的命，既上了戏台，就是要忽亨忽灭。

薛颠亨通过，灭了很久。过世小五十年后，首谈他的，是我二姥爷，在《武魂》登文。开始时是谈着试试，比较谨言，放开谈，是受了《武魂》编辑常学刚先生支持，并以大魄力为此话题开了专栏。

常先生说过许多话，大意是，新一辈不知道薛颠了，看了《武魂》去问师父师爷，勾起老辈人记忆，才说说，年轻人没想到熟知的武林典故里竟然屏蔽了一位顶级高手，出于好奇心理，有了许多薛颠迷。

于是，南北间涌现了跟薛颠有关联的人，有的自称薛颠嫡传，有的说串有薛颠的东西，有的说师爷受过薛颠指点——都是好事，起码证明人间有过薛颠。

还有的说找到证据，薛颠在（20 世纪）50 年代未死，而是如“基督山伯爵”般假死遁身，按他的身体素质，至少活到 80 年代。网上发问：“80 年代上中学时，如果知道薛颠还在世，跟自己在一个时间段活着，会惊着么?”

没敢答，确实惊着了——总之，是好事。神话薛颠，说明尘封半个世纪后，薛颠跟人间重又发生了关系。

常学刚先生是“顺水推舟”的推舟人，承蒙先生十几年过来，仍续善举，将薛颠旧作编辑合集。正视薛颠，应从此合集开始。

徐皓峰

我跟薛颠这几本书的缘分（代序）

薛颠先生跟我有缘，这缘分，就是他的这几本书。

二十几年前，我由体育杂志的记者转行到武术期刊《武魂》当编辑。隔行如隔山，两眼一抹黑的我，听老编聊起过薛颠，知道了此人本事和为人都透着怪，不但名字叫了一个“颠”，行状也是“身法快捷，有如鬼魅”，这些都给人遐想的空间。

薛颠成了我渴望了解的人，可在《武魂》的最初几年，并没有收到过关于薛颠的稿件，也没有人认真提他。这种情况，跟我知道的其他名人很不一样。印象中，凡那些武学高深、声名显赫的大家，几乎人人会有众多的追随者写文追忆，深入研究，或是弟子，或是同门，皆以与之有关联为荣。而这位薛颠，怎么就是个例外呢？

听说薛颠好像有后人或者传人在天津一带，曾托津门的朋友打听，结果不了了之，没个下文——似乎武林不曾有过薛颠这个人，这让我有些无趣乃至悲哀。

大约是1996年的二月，上海马胜利先生的泰戈武术发展有限公司，寄来一本《象形拳法真诠》，说这是经过广泛搜寻，很花了一些钱从海外拳家手中购回的，希望能够连载。马的来稿给我带来兴奋——原来还有人记得薛颠！

此文经删节后，在《武魂》上分三期刊出。这是我第一次直面薛颠的文字，而这与薛颠的“第一面”，却只能用“糟糕”二字来形容。

之所以“糟糕”，糟就糟在我对这本书“删节”的无知与草率，全书仅刊出了“总纲绪言”的部分内容，后面的“象形拳法真诠上编”飞、云、摇、晃、旋五法和“下编”的龙、虎、马、牛、象、狮、熊、猿八象则根本未涉及。好好一本书，删得七零八落，不成体系，一次让人重新记起薛颠、认识薛颠的机会，在我手下居然成了如此模样（行文至此，颇感愧对当年马胜利先生为传统武术文化传衍付出的一片苦心）。

与薛颠著作的首次交集，虽然局面难堪，让人心生愧疚，但我却也由此知道，传统是有记忆的，薛颠和他的拳，并没有消散成渐飘渐淡的烟。

以后发生的事情，愈发让我感到，以前自己曾经的悲观，实在是因为少见与寡闻。先是山西太原意源书社的崔虎刚、王占伟两位先生，根据他们搜集和珍藏多年的民国版本，率先印行了薛颠的《形意拳术讲义》，在拳友中辗转流传；继而意源书社又与山西科学技术出版社的王跃平老师合作，2002 年正式出版发行了薛颠《象形拳法真诠》和《灵空禅师点穴秘诀》两本书。这件事情，可以说是那个时期，武林界关于薛颠研究的大举动。这几本书，也成了《武魂》编辑部向读者推荐的传统经典。

但薛颠离开我们的视线太久了，很多年轻人，已经读不懂薛颠。尤其是《象形拳法真诠》和《灵空禅师点穴秘诀》，在《武魂》编辑部的书架上，很冷清了一阵。读者多数不知道这个作者是谁，不了解这是什么功夫！

薛颠其人其事，需要有人解读，现在还有懂薛颠的人么？

2000年11月，一位署名徐皓峰的陌生作者，发来一篇介绍形意拳老辈传承者李仲轩的稿件。没想到就是以这篇陌生作者的自由来稿为发端，《武魂》用将近七年的时间，陆续刊登了由徐皓峰整理的李仲轩稿件28篇。李先生的这些文章，并无编者与作者事先的沟通和预约，完全是作者随心所欲写来，但在每一篇来稿中，编者常会有意外的发现。在编辑2002年第10期的那篇《“一个头”见薛颠》时，我看到“我的第一个老师是唐维禄，最后一个老师是薛颠”这句话，既喜且惊，谁能想到，正在我们苦寻解读薛颠者而不得之时，会出现一位薛颠的弟子，以年近九十的高龄，为后学讲述他所了解的薛颠。这真是想什么来什么！此刻，你不能不惊叹中华传统文化精髓的顽强生命，不能不信服冥冥之中固有的机缘。

《武魂》是李仲轩系列文章的最初刊载者，之后这些文字，被徐皓峰先生整合成册，定名为《逝去的武林》；再后来，徐先生又将据仲轩老人口述整理的《象形术探佚》，披露连载于《武魂》2009年第9期至转年的第2期，以后成了徐皓峰的另一部书《高术莫用》里的内容。两本书的出版，一时在武林轰动。

关于薛颠，李老写得绝对独家：

他是结合着古传八打歌诀教的，蛇行是肩打，鸡形是头打，燕形是足打，不是李存义传的，是他从山西学来的。

薛颠管龙形叫“大形”，武林里讲薛颠“能把自己练没了”，指的是他的猴形。

薛颠传的桩功，一个练法是，小肚子像打太极拳一般，很慢很沉着地张出，再很慢很沉着地缩回，带动全身，配合上呼吸，不是意守丹田，而是气息在丹田中来去。打拳也要这样，出拳时肚子也微微顶一下，收拳时肚子微微敛一下，好像是第三个拳头，多出了一个肚子，不局限在两只手上，三点成面，劲就容易整了。

站桩先正尾椎，尾椎很重要。脊椎就是一条大龙，它有了劲力，比武时方能有“神变”。

薛颠说四维上下，不是玄理，而是具体练法。“内中之气，独能伸缩往来，循环不已，充周其间，视之不见，听之不闻，洁内华外，洋洋流动，上下四方，无所不有，无所不生。”这已是形意的妙诀了。

在仲轩老人的笔下，原本模糊一团的薛颠，清晰了许多。仲轩老人的话，也让更多的人，打开了尘封多年的记忆：

“肩窝吐气”是薛颠讲过的练功口诀。气者，劲也。肩窝是张嘴，对着手臂吹气，劲就到了指尖。站桩、打拳都要这样。

薛颠说：形意拳只练向上的劲，从不练向下的劲，松了自然有沉劲。“蓄”，练收，含着劲打拳，所以练功架是不发劲的。“含着劲练拳，兜着劲打人”。

打劈拳是，“肩井”如瀑布一样倾泻而下，是“重力”。对应“肩井”的是“涌泉”。打钻拳时，“涌泉”似喷泉般向上涌出，身势借着这股势头钻出。

刘奇兰这一系的河北形意拳，原先以五行拳为主，并不重视十二形，但薛颠自李振邦处重新引进了十二形，在他之后，河北形意拳又开始学习十二形。

薛颠另一个重要的贡献即是创象形拳。他提出“飞云摇晃旋”五法，为形意拳另辟新径。

如此种种，精妙纷呈，薛颠的武学，重新在人们的心中复活了！

后来，再回人们视线的薛颠，让《武魂》读者服务部书架上他的书，成了读者关注的热点；再后来的2007年，山西科学技术出版社将薛颠的这三本书合集出版，我有幸成为了该书的校点者。

今年（2016年），北京科学技术出版社又将薛颠的著作，以新的注释、新的校点、新的版式、新的装帧向武术读者隆重推出，早已从《武魂》杂志退休的本人，再次有幸参与其中。回想二十年来，笔者亲眼目睹了薛颠先生这三本书由湮没无闻到名动武林的过程，不由得心生感慨，遂写了上面的文字。

常学刚

导读

薛颠（1887—1953 年），字国兴，号页真子，河北束鹿县（今河北省辛集市）人。薛颠先生是民国时期的武学大家。先生在青年时期，曾师从李存义、薛振刚、李振邦，学习形意拳。中年时，又访到灵空禅师学习象形术。李振邦是形意拳宗师李洛能的嫡孙，灵空禅师是山西五台山南山寺的得道高僧。

薛颠先生主持天津县国术馆教务时，在练功和教学之余，勤于著述，经过苦心经营，将武术绝学形之于文字，这就是他的多本皇皇武学巨著。先生的武学著作，对形意拳、象形术的拳理、拳法进行了全面、系统、详细的讲解，将各种内外功、伤科治法和秘方和盘托出，贡献于社会。其文笔力雄健，文采飞扬，自信十足；分析、论述精辟老到，直指要害，有独特的语言风格，表现出深厚的文化修养、高超的功夫水平和源远流长的武学传承，给我们留下了宝贵的文化遗产。

然而，由于时代的隔阂以及语言、文化和知识结构的差异，现在的一般读者要想真正读通、读懂薛颠先生的著作是很困难的。因此，全面、严谨的点校、注释工作就显得十分迫切和重要。

第一，原著出版发行的那个时代，还没有成熟的标点符号体系，所以当时的断句和标点有很多的混乱。尤其是各书前的序言，虽然有很高的研读价值，但是完全没有断句，严重妨碍了读者的阅读和理解。这次对全书所有文字进行了严格、细致的点断，并根据句意、文意及各句、各部分之间的逻辑关系，加上了恰当的标点符号。

第二，原著是用文言文写成的，尤其是各书前的序言，都很艰深，时不时出现古奥的用词、用典，这对于习惯了现代文阅读的读者而言，又是一个巨大的障碍。将文言文按照现代文来理解，极易曲解作者的原意，甚至闹出笑话。因此，这次对全书难解的字、词、句、篇进行了密度不一的注释，艰深的地方注释密度大一些，相对浅易的地方注释密度小一些。对于特别艰深的篇章给出了全篇释文。对于原著的用典及引用的古语，最大限度地将其出处、原意和本书用意呈献给读者。对于原文中前后互文的关系及承前省略的内容，也都尽量揭示给读者。

第三，薛颠先生在写作《形意拳术讲义》时，将全本《李洛能形意拳拳谱》作为形意拳的理论根据和练习规范，有机地插入该书各章节中，为我们保留了《李洛能形意拳拳谱》的一个珍贵版本。这次校注对于书中来源于《李洛能形意拳拳谱》的文字均予以指出，以便于读者辨别哪些是拳谱的摘录文字，哪些是薛颠先生的原创文字。

以前的所有各名家的形意拳著作，包括薛颠先生的这本《形意拳术讲义》，在使用拳谱时只是引用而不加解释。这次尝试对书中引用的拳谱部分进行了高密度的注解，有很多篇章做了逐句解释。这是一个巨大的挑战，还望各位学者、专家提出宝贵意见，以便不断改进。古人流传下来的拳谱拳经，若不加解释，永远只不过是沉睡的镇箱之物。

第四，原著有一些文字和插图上的失误。如《灵空禅师点穴秘诀》中的药方、药名存在错误。再如《形意拳术讲义》中“鹘形回身”拳照与“鹰形回身”拳照，互相放错了位置。还有某处的两个字也是互相放错了位置，这次都发现并指出来了。

对于失误的字、词、句，都尽力找到并指出来加以改正。用“应为”“当为”“疑为”“疑当为”分别表示点校者的肯定、商榷、推测和揣测等不同语气。如“雷火风：应为‘雷火丰’”“赤芎——当为‘赤芍’”“遍成毒：疑为‘逼成毒’”。

以上将《薛颠武学辑注》的标点、校订和注释工作进行了简单的介绍，唯愿校注者的努力能为现在的和将来的读者朋友扫除阅读和理解的障碍，让大家都能顺利地享受前人给我们留下的文化遗产，也让前人的著作抖去历史的灰尘，像颗颗明珠，永放光芒！

王银辉

形意拳術講義

編輯者像

編輯者

天津縣國術館教務主任薛顛

鍊備並重
仁勇且智
徐永昌題

剛勇和平

張蔭梧贈

形意拳術講義序

吾國以積弱不振受侮列强其原因固非一端而國人輕視體育忽於運動蓋亦致病之由拳術者中華固有之國粹最良之體育運動法也昔管子重拳勇齊人隆技擊拳術之興負乎尚已降及隋唐少林派出外家始盛說者謂太宗之平王世充曇宗等亦與有力焉迨至宋時而張三豐以絕技名世內家祖之明代則張松溪爲最著而陳元贇乃傳其術於扶桑彼日本之所謂柔術武士道者皆吾國拳術之流派也邇年張子岷李芳宸諸先生懔國勢之凌夷憫國術之衰微力加提倡特立專館各省聞風興起者頗不乏人而河北省國術館亦早成立惟自來精斯道者傳授心法多屬面命承學之士鑽仰爲難今束鹿薛君以國術之名家闡師傳之秘奧編爲講義解以詳圖俾學者得以研究科學之方法領悟其中之妙用較諸般剌密諦之譯易筋經與夫前人之

著內功闡說者亦何多讓吾知付梓後其有裨於體育而可以強國者必非淺鮮將僅個人健身之助而已哉惜作義於國術未窺門徑扣槃捫燭之談固知其無當於要旨也是爲序

中華民國十八年十月灤河傅作義敘於天津警備司令部

真精氣神

李服膺題

形意拳術講義序言

龍門史記特傳游俠游俠者流蓋出於墨家之兼愛兼愛以仁游俠以武其相反而寔相成者猶孔氏之勇生於仁佛氏之大雄無畏生於慈悲也自韓非以犯禁譏游俠於是歷代朱家郭解之儔悉以鳴不平罹當世法吏之文網而所謂搢紳先生者流輩囿於規行矩步之中動以擊劍扛鼎之術爲卑卑不足道至習其術者亦頓忘其所自變本加厲下之浪迹江湖苟藉爲技以求活上焉者適激於一人意氣之私輒不惜昂藏七尺快報復而干禁例蓋自海禁大開以來中土游俠之風漸趨衰歇而所謂東方廣博雄武之民族地位亦遂儕印緬而偶韓越幾於銷失盡矣薛子國興以所著形意拳術講義示予且請序予於斯無能爲役惟讀其自序有素慕朱家郭解之遺風一語朱家郭解游俠傳首出也薛子以是自期其殆知道者矣抑吾重有感焉國於天地必有

與立強國東瀛以崇尚武士道崛起病夫突厥以尊奉伊斯蘭中興吾國民族地位之衰落基於民族精神之銷失本黨總理孫先生力主恢復吾國民族固有之精神以恢復民族地位卓識偉見名論不磨至所謂民族固有之精神曰忠孝曰仁愛曰信義曰和平游俠之重然諾本兼愛殆亦其所不遺者也薛子之為是書願以之為恢復民族地位之佽助勿以之為博取一人聲譽之筌蹄尤願讀是書者勿使習其技擅其術為私人快恩讐罹法網甚或墮於江湖鬻技之流貽達者之非笑招外人之譏侮是則予之所深望也夫黃岡曾延毅序於天津特別市公安局

中央國術館副館長李景林

自彊不息

賀[illegible]題

形意拳術講義敘

古者大學之教春夏學干戈秋冬習羽籥凡以節宣其志氣調劑其剛柔文武之道一弛一張不可偏廢也拳經之作始自達摩傳者有易筋洗髓諸篇岳武穆又增易骨篇其後張三丰者亦精其道世傳少林武當為拳家內外二宗拳之為術其麤者求之於血氣其精者求之於神明形不離意意不離形此形意拳之所以名也學者因意以求形因形以求意得之於心應之於手斯可以為老斲輪矣泰西今言三育吾國古傳六藝禮樂者德育之

事也射御之術肯自文武此清[illegible]有於有之事
也僅世既分文武為二科以八比文取士試儒者
方勞神敝精於八比帖括之學以雍容雅步為
賢因不屑留意於技擊武科功令但取弓刀石
及騎步射亦不足以窺拳術之奧而方外之
士習以自衛且以噓噏吐納熊經鳥申為養生
助道之具祕不輕言至江湖遊俠之徒亦各有師
承久之亦漸失其真求能深造有得因技而進乎
道者難乎其選矣有造育人才之責不為之倡率
明立課程而草澤之間轉相授受以為祕術其弊
也勇於私鬥怯於公戰遂以好勇鬥狠為世詬病

此非拳術之過而國家重文輕武之過也誠使國家振古大學之法知有文事者之必有武備則知所謂春夏干戈者即今之所謂兵勢體操也所謂秋冬羽籥者即今之所謂柔式體操也今之學校當列拳術為專科拳術既精本根先立一切槍法劍術不旬日而可皆通所謂操本以求末也古人嘗言非徒有力者不能以行禮行禮猶然而況於軍旅之事乎吾知拳術之有益於吾國民者非淺鮮也故樂薛君之書之成而為之敘

中華民國十有八年歲在己巳十月之望

樂壽老人曹錕

形意拳術講義序

乙丑冬薛君顛以所著形意拳術講義見示屬為之序余於武術未聞其奥溯自北居以来獲交李君存義其為人樸厚剛訥若無所能至人有急難則義形於色不屈不避殆古侠義之流歟因是得聞武

術之原委有形意八卦太極之分皆傳始於達摩發明於岳武穆張三丰至清初英傑輩出任俠之風盛行海宇而燕趙尤多慷慨悲歌之士及今政府以武術為中華國粹立國術館以作其氣各省無不聞風興起薛君所著形意拳術講義

繪圖立說以發明前賢不傳之秘余瀏覽一周雖未能窺其精微惟覺果能至誠不息深造其域至拳無拳意無意之境即道法自然之妙乃能會達摩面壁之真意豈僅拳術而已哉是為序

滇南王人文序於析津

遯廬

序

我國武術一技歷代傳授有人嘗觀史籍所載古俠義者流其慷慨之風頗足動人欽慕如魯之朱家漢之郭解皆以倜儻任俠著名當代近如張三豐甘鳳池輩亦名冠一時考其事蹟良以孝義爲先提迥非江湖濫技持藝於世者同日而語蓋斯術之有三要良師工夫與天資耳嘗觀前輩之精於斯技者長衣緩帶狀態雍容循循然若儒者相是技之不尙氣血之勇也乃其明証而聞其風者能使鄙者寬而薄者敦鄉閭興廉讓之風社會踵倜儻之跡足爲人世之金鑑今我薛師諱顚近著形意拳講義探本窮源立論本乎至理爲形意拳開一曙光人人手此一篇如得良師之在坐雖不能精通其技亦足爲强體壽世之寶筏焉爰綴數言爲序

民國十八年已巳孟冬大城呂子光謹序

序

形意拳術之始本乎天地之大端與夫造化之原理蓋天地之闢於一無烝也萬物之生於無知形意之成本於無意蓋無意至極生有意意誠心正乃至於靜靜則察候六瓤溶煅二氣靜極生動動而震發四肢貫通百骸是謂先天存乎靜後天藏諸動也故意爲體而形爲用靜屬陰而動屬陽體運動靜得陰陽消長生生之功而眞一之氣生焉孔子曰冬至養其陽夏至養其陰孟子曰吾善養吾浩然之氣此皆修養正氣之謂也蓋形意拳之原理則培養天一之道由後天而達於先天也重陽不重陰太剛必折重陰不重陽過柔不堅剛柔相濟乾坤之道乃成古之傳斯術者多以心法口授缺少記載使後學茫然不知途徑已巳夏余客津門値薛師顚公著形意拳講義一書使佐其成余曾進紓蒭意以罄管見自夏徂冬編纂始竣深望學者顧作探本求源之道須

以涵養正氣爲先要庶不背斯術之本旨謹貢數言以爲之序

民國十八年已巳孟冬平定[illegible]卿趙汝勵謹序

序

拳技一門有內外兩家之分。世人嘗云。外家祖。達摩祖師。曰少林派。內家祖。張三豐先生。曰武當派。攷其眞理。名殊而源同。其所爲拳之用勁。不外乎形與意。形於外者爲形。蘊於內者爲意。故有形意拳之名。世人不察。以爲外家主剛。內家主柔。烏知剛柔不可偏重。且亦未嘗須臾離也。吾國拳術發明最早。歷代世有傳人。然皆口傳心授。隱秘其法。不以著書傳後人。講武術者。莫不宗其所傳。淺俗歌訣記之。不能詳其理法。然習之者多不能盡其術。且傳者又多秘其要法。言術而不言理。後學更無從問津矣。吾友薛君。精技術。視此傳法。年久必當失傳。因著形意拳術講義註及圖解。以餉同志。詳其動作。誌其應用。而於五拳十二形之練法。尤爲重視。此書出而慕形意拳者。得有塗轍。眞空前絕後之作也。讀者苟能悉心體會。豁然貫通。自不難階及神明。余不敏。敢眞言不貢。對於斯術未窺門徑。略贅數言而矣。

民國十八年歲次己巳中秋熱河盧文煐序

形意拳術講義序

溯自海禁開放歐風東漸國人多捨其固有之國技而求泰西之運動以致精奥之國技反而中隱良可嘆也苟欲得健全之精神必先有健全之身體欲求身體之强健厥惟國技是賴國技之種類繁多形意拳其最著者也吾師

薛國興先生總角習武歷經名師從李振邦先生習形意得其眞傳凡教授同人無不悉心指導不憚煩勞以提倡國技强國强種爲已任懼初學之無指證故著此書壽我同志功非淺鮮誠體育之寶筏也謹書數語以誌銘感

衡水崔占斌謹序

序

夫技也何以生生於人之智天地變端萬物莫測龍之行雲虎之御風鳳翔岐山鶴唳長空莫非技也曩達摩老祖之五禽心意等禪功皆相禽獸之形而始得迨宋岳鄂王復精研之而易名曰形意淸季吾鄉戴先生精是拳後傳直隸深州李老能先生而盛行於直隸淵雖不敏然慕形意之眞傳久矣今歲至津得列薛國與先生門牆始得知形意之眞意薛先生之習形意也師事李老能之孫李振邦先生故所傳彌眞恐後學之誤入岐途也故將所學著爲書以鳴於世其殷殷誘掖之心誠自古所罕見尙望學者用心求之庶不負著者之苦心也

山西祁縣 郭仰淵拜撰

序

吾國武術。昌明於戰國。至明清而大盛。雖有內外家之分。武當少林之別。而提倡體育。激發尚武精神之意則一。惜乎滔滔天下。武人不文。文人不藝。又多私相授受。幾無專書以資考證。雖代有傳人。亦皆湮沒不彰。誠可慨也。宋岳忠武王。創造形意拳。備極精妙。為諸拳冠。及乎今世能者少。精者尤少。吾師薛公顛。字國興。河北東鹿人。任俠好義。精技擊之術。獨慨民族積弱。國步艱難。發憤為雄。提倡國術。精研形意者凡數十寒暑。得其精奧。闡發玄微。著為一冊。以公諸世。嘉惠後學。功至深遠。而岳忠武王之苦心。以將以先生之書而永垂不朽矣。書將付梓。謹貢弁言以誌敬慕。

民國十八年十一月門人 武邑李廷俊 寶坻李學志 謹序於析津

校閱者

天津縣國術館秘書李學志

達摩先師面壁圖
達摩先師面壁圖
二十六

達摩眞意

達摩大師傳下易筋洗髓二經。習之以强壯身體。還人之初生。面曰妙用無窮。如天地化育萬物之理。拳經之理。即天地之理。又人之性也。亦道家之金丹也。理也。性也。金丹也。形名雖異。其理則一。故久練可以同登聖域。能與天地合其德。與日月合其明。與四時合其序。學者胡不勉力而行之哉。

道經云

道眞竅不眞　修道枉勞神
祖師眞訣竅　知竅即成眞

岳武穆先師像

岳武穆先師之像

二十八

岳忠武王形意拳要訣

形意拳者。乃岳忠武王之所創。是合五綱十二目統一全體之功用也。取諸於身內。則使全體自强不息。中庸所謂博厚配地高明配天悠久無疆是也。取之於外。則使四體百骸內外合其道。誠者自誠。而道自道也。（言似離奇實習則明）以拳之應用。則內中之氣。獨能伸縮往來。循還不已。充周其間。視之不見。聽之不聞。潔內華外。洋洋流動。上下四方。無所不有。無所不生。至此拳內眞意眞勁。誠中形外。而不可掩矣。學者。於此用心至誠無息。可以至無聲無臭之極端矣。

先賢云　拳若練至拳無拳意無意無意之中是眞意始達其境矣

校閱者

河北省國術館董事
高志仁

天津縣國術館教員
張春生

自序

蓋夫體育一途。創自達摩大師。名爲內經。迨至宋朝。鄂王岳飛。又精研內經之意義。化生五行。（金木水火土）十二形（天地間動物之形）之原理。因名爲形意拳。總合五綱十二目。統一全體之功用。在內爲意。在外爲形。是術乃修身之本源。明心見性還原之大道。攬陰陽之造化。轉乾坤之樞機。誠強身之捷徑也。元明二代。幾於失傳。至明末清初時。蒲東諸馮。姬際可字隆風先生。適終南山。得鄂王內經數編。乃精是術。後傳曹繼武。（康熙己酉科武試三元供職陝西靖遠總鎮）先生。先生致仕歸里。隱居田園。授徒以娛晚年。山西戴龍邦盡得所傳。戴先生再傳直隸深縣李飛羽先生。（世稱老能）李先生又傳門徒多人。其子太和又傳李振邦（李飛羽之孫李太和之子）薛振綱等。（余）幼年失學。天性好交。慕朱家郭解之遺風。喜習武。愛擊劍。得侍李振邦薛振綱二先生爲師。從學二十寒暑。微悉門內旨趣。但諸先生耳提面命之外。未著專書。余恐後之學者。不知形意拳眞意。爰不辭固陋。立願叙述。每勢備一圖像。附一淺說。表明拳內原理。以及五行十二形之性質。精神。奧妙。再按各拳之形勢。編輯成書。以公諸同好。非敢自矜一得。聊以廣技擊之傳耳。實無文法可讀。然與吾所學。未敢稍有悖謬。未盡善處想必不免倘望明斯理者隨時指正爲盼。

凡例

一是編拳經講義及演式。分輯上下兩編。提綱挈領。條目井然。按次習之。自能潛通默悟。

一是編拳經總論三章。首自發明無極空空靜靜。自微而顯。一變而爲炁化形質。與夫陰陽之造化。乾坤之旋轉。放之而爲天地六合。捲之則退藏於默。拳術之起始。實基於此。

一是編自無一炁之起源。而發育五行及十二形之眞義。並附正面側面左右前後之圖說。以備學者考其原始。

一是編次列講義三章。詳解人身之四肢百骸動靜伸曲。內而通乎臟絡。外而合於五行。必使體舒氣暢。運用自然。始爲得體。

一是編附拳法。初學入門及三害等。以備習者有所遵循。

一是編再次則排演拳術。自五行拳起首章。劈拳五章。橫拳六章。連環。

七章五行生尅炮拳。爲上編。

一是編列舉形意拳術有單行對舞之要訣。單行者。自身練習也。對舞者。二人互相搏擊也。習之純熟。自有心得。倘遇敵手。便可運用靈敏。

一是編列舉十二形。實本天地萬物化生之理。取世間禽獸之具有特能者。妙倣其性能。摹倣時久。自能精神入體。

一是編第一章自龍形演起。至十二章鷹熊鬥志勢。終爲下編。

一是編形義拳術。實與衛生健身關係至切。如能長習。則疾者能愈。弱者可强。男女老少。皆可練習。既無折腰屈膝之痛苦。又無躍高蹤險之危。勞斗室席地。長衣緩帶。亦可演習。雖屬武術。跡近文雅。

一是編對於軍學兩界。最爲合宜。逐日列入課程。較之體操。定能收事半功倍之效。

一是編各勢皆附一圖。並詳釋身法步法進退路綫。務使學者易於明瞭。

一是編練習時。身手分陰陽。以前心爲陰。脊背爲陽。手心爲陰。手背爲陽。以手大母指朝上爲陰陽掌。以右肩在前。或左肩在前。皆爲陰陽身。拳虎口朝。上爲陰陽拳。

一是編學者。如按書摹習時久。自能登峯造極。若以己意擅改。則必失之毫。釐差之千里矣。學者且以愼之。

勘誤表

目錄	頁數	行數	誤刊	更正
拳經曰	六	九	莫在一思存•	莫在一思退•
第二節	一二	七	三•稍	四•稍
戰手要法	一五	九	要凝神衣•氣	要凝神聚•氣
形意摘要	一九	二	彼手已•不着	彼手挨•不着
太極	二四	十	頭項•身拗	頭項•身拗
劈拳路線	二八	七	左足印字右•	左足印字左•
崩拳回身	三六	三	左拳抑•抱	左拳仰•抱
鑽拳起勢	三八	十二	後拳肘進•	後拳肘近•
炮拳路線	四一	上邊	三•組	二•組
連環拳	五八	三	無名指食•指	無名指小•指
連環回身	六四	三	左拳抑•抱	左拳仰•抱
龍形回身	八五	四	左拳抑•抱	左拳仰•抱
虎形路線	八六	上中間	一•組	三•組
猴形	九八	九	猴形回法•	猴形回演•
猴形	九九	四	與右手•相齊	與右足•相齊
鷂形	一三七	上圖左	第四節鷂形右•落勢	第四節鷂形左•落勢
鷂形	一三七	下圖左	第五節鷂形左•起勢	第五節鷂形右•起勢
鷂形	一三八	下圖	鷂形左同身圖•	鷹形右轉回身圖•
鷹形	一四二	圖	鷹形右轉同身圖•	鷂形左轉回身圖•
鷹形	一四一	二	勁•至手心朝上	蹲•至手心朝上
說明	行數均由右向左計算			

上編形意拳術講義

第一章
第一節　五行名稱
第二節　形體合一
第三節　拳經解釋
第二章
第一節　初學入門規矩
第二節　練習三害
第三節　呼吸合道
第四節　三步功夫
第五節　靈通三性
第六節　六合為一

第三章
第一節 三節合一
第二節 四稍三心歸一
第三節 身法八要
第四節 步法手法五要
第五節 戰手要法
第六節 形意摘要

形意拳術目錄

第一章 總綱
第一節 無極論
第二節 虛無無極含一炁
第二章

第一節　太極論
第二節　太極勢
第三章
第一節　兩儀論
第二節　兩儀生三才

五行拳術目錄

第一章　劈拳
第二章　崩拳
第三章　鑽拳
第四章　炮拳
第五章　橫拳
第六章　五行合一進退連環拳

第七章　五行生尅炮拳

下編形意拳術講義

十二形拳術目錄

第一章　龍形
第二章　虎形
第三章　猴形
第四章　馬形
第五章　鼉形
第六章　鷄形
第七章　鷂形
第八章　燕形
第九章　蛇形

第十章　鷂形
第十一章　鷹形
第十二章　鷹熊合演

第一章

第一節　五行名稱

五行者。金木水火土也。內有五臟。外有五官。皆與五行相配。心屬火。肝屬木。脾屬土。肺屬金。腎屬水。此五行隱於內也。舌通心。目通肝。鼻通肺耳通腎。人中通脾。此五行之著於外也。且五行有相生之道。金生水。水生木。木生火。火生土。土生金。又有相尅之義。金尅木。木尅土。土尅水。水尅火。火尅金。五行相生。所爲變化無窮。五行相尅。取其破他人之手勢。蓋拳術取名之義。基在此矣。取諸於身。則使五臟充寔。而全體無虧。運用在外。能使體舒和暢。運用在內。能使清氣上升。濁氣下降。堅實其內。整飾其外。以爲平時練習之規則。

第二節　形體合一

易云。兩儀生四象。四象生八卦。八卦生八八六十四卦之數。皆從太極分散而來。太極者。天命之性。即人之心意也。意者。心之所發也。人爲萬物之靈。能感通諸事之應。是以心在內而理周乎物。物在外而理具於心。是故心意誠於中。而萬物形於外。在內爲意。在外爲形。合於術數。近取諸身。內爲五行。遠取諸物。外爲十二形。內外相合。而形生焉。明乎斯理。則天地萬物。形體之合一。皆可默悟矣。

第三節　拳經解釋

蓋夫形意拳術之道理。內有七拳。八字。二總。三毒。五惡。六方。六猛。八要。十目。十一格。十四打法。十六練法。九十一拳。一百零三槍之秘訣。次序述之。以標明其義。使學者知其眞意焉。

七拳法　頭。肩。肘。手。胯。膝。足。共七拳。

八字訣　斬：劈拳。截：攢拳。裹：橫拳。胯：崩拳。挑：踐拳。燕形。頂：炮拳。雲：鼉形拳。領：蛇形拳。

二總法　三拳。三根。爲二總。三拳。是天地人生法無窮。三根。是天地人生生不已。

三毒法　三拳。三根精熟即爲三毒。

五惡法　得其五精即爲五惡。

六猛法　六合練成即爲六猛。

六方法　內外合一即爲六方。

八要法　心定神寧。神寧心安。心安清淨。清淨無物。無物氣行。氣行絕象。絕象覺明。覺明則神氣相通萬象歸根矣。

十目法　即十目所視之意。

十一格法　自七拳格起。至士農工商爲十一格。

十四打法　手。肘。肩。胯。膝。足。上下。左右。前後共十二拳。頭爲一拳。臂爲一拳。共十四拳。名爲七拳。故有十四處打法。此十四處打法。變之則有萬法。合之則爲五行。兩儀仍歸一炁也。

十六處練法

一寸。二踐。三躦。四就。五夾。六合。七疾。八正。九脛。十警。十一起落。十二進退。十三陰陽。十四五行。十五動靜。十六虛實。

寸：足步也。踐：腿也。躦：身也。就：束身也。夾：如夾剪之疾也。合：是內外六合。心與意合。意與氣合。氣與力合。是爲內三合。肩與胯合。肘與膝合。手與足合。是爲外三合。疾：疾毒內外合一。正直看正。却是斜。看斜却是正。脛：手摩內五行也。警：警起四稍也。火機一發。物必落。磨脛磨脛。意氣響連聲。起落：起是去也。落是打也。起亦打。落亦打。起落如水之翻浪。纔成起落。進退：進是步低。退是步高。進退不是枉學藝。陰陽：看陰而却有陽。看陽而却有陰。天地陰陽相合能下雨。拳有陰陽相合能成一氣。氣成始能打人成其一塊皆爲陰陽之氣也。五行：內五行要動外五行相隨。動靜：靜爲本體動則作用。若言其靜未漏其機若言其動未見其迹。動靜正發而未發之間謂之動靜也。虛實：虛是精也。實是靈也。精靈皆有成其虛實。拳經歌曰精養靈根氣養神。養功養道見天眞。丹田養就長命寶。萬兩黃金不與人。

九十一拳法

三拳分爲二十一拳。五行生尅是十拳。分爲七十拳。共九十一拳。一拳分爲七拳。是前打。後打。左打。右打。上打。下打。不打。打打。

一百零三槍　天地人。三槍各分四柱。是三四一十二鎗。五行五槍。是五七三十五槍。八卦八槍。是七八五十六槍。共一百零三槍。

拳經曰　頭打落意隨足走。起而未起占中央。脚踏中門搶他位。就是神仙亦難防。肩打一陰反一陽。兩手只在洞中藏。左右全憑蓋他意舒展二字一命亡肘打去意上胸膛起手好似虎撲羊。或往裏撥一傍走。後手只在肋下藏。拳打三節不見形。如見形影不爲能。能在一思進。莫在一思存。能在一氣先。莫在一氣後。胯打中節並相連。陰陽相合得之難外胯好似魚打挺裏胯藏步變勢難膝打幾處人不明。猛虎好似出木籠。和身展轉不停勢。左右明撥任意行。脚打採意不落空。消息全憑後足蹬。與人較勇無慮備。進退好似捲地風。臂尾起落不見形。猛虎坐臥藏洞中。臂尾全憑精靈。起落二字自分明。

拳經云　混元一氣吾道成。道成莫外五眞形。眞形內藏眞精神。神藏氣內丹道成。如問眞形須求眞。要知眞形合眞象。眞象合來有眞訣。眞訣合道得徹靈。固靈根而動心。敵將也。養靈根而靜心。修道也。武藝雖眞竅不眞。費盡心機枉勞神。祖師留下眞妙訣。知者傳授要擇人。

第二章

第一節　初學入門規矩

練習拳術。不可自專自用而固執不通。若專求力則凝滯不靈。專求重則沉重不活。專求氣則拘泥不通。專求輕浮則神意渙散。要而言之。身外形順者。無形中自增氣力。身內中和者。無形中自生靈。如練至功行圓滿之時。凝神於丹田。則身重如山。化神成虛空。則身輕如羽。所以練習不可固執一端也。果得其妙道。亦是若有若無。若實若虛。勿忘勿助之意。不勉而中。不思而得。從容中道。無形中而生誠。神奇矣。

第二節 練習三害

初學練習武術。謹當切忌三害。三害不明。練之足以傷身。明之自能得道。三害者何。一拙力。二努氣。三挺胸提腹是也。如練出拙力。則四肢百骸。血脈不能流通。筋絡不能舒暢。全身發拘。手足不能活潑。身為拙氣所滯。滯於何處。何處成病。練時努力則太剛易折。胸內氣滿。肺為氣所排擠。易生滿悶肺炸諸症。若挺胸提腹。則氣逆上行。終不歸於丹田。兩足似萍草無根。譬如心君不和。百官必失其位。拳法亦然。若不得中和。即萬法亦不能至中立地步。故練習之時。謹忌三害。用以力活氣順。虛心實腹。而道心生。練之設如此。久而久之。自然練至化境矣。

第三節　呼吸合道

夫人以氣爲本。以心爲根。以息爲元。以腎爲蒂。天地相去八萬四千里。人之心腎相去八寸四分。一呼百脈皆開。一吸百脈皆闔。天地化工流行亦不出乎呼吸二字。且呼吸之法。分有三節道理。初節之道理。乃是色身上事。即練拳術之準繩。呼吸任其自然。有形於外。謂之調息。亦謂練精化炁之功夫。二節之道理。謂之法身上事。呼吸有形於內。注意丹田。謂之息調。亦謂練炁化神之功夫。三節之道理。乃是心腎相交之內呼吸。無形無像。綿綿若存。似有非有。無聲無臭。謂之胎息。亦即是練神還虛之功夫。呼吸有三節道理。拳術有三步功夫。謂之明勁。暗勁。化勁是也。明勁者。拳內之法。伸縮開合之勢。有形於外。暗勁者。動轉神速。動則變。變則化。變化神奇。有形於內。化勁者。無形無像之手法。不見而章。不動而變。之神化也。此三步之功夫。是練拳術根本實際之道理。亦謂之練術合道之眞訣。知此道理。可以謂之性命雙修也。

第四節　三步功夫

易骨者。明勁也。練習時身體動轉。必須順遂而不可悖逆。手足起發必須整齊。而不可散亂。爲之築基壯體。充足骨髓。堅如金石。而氣質形容如山嶽之狀。此謂之初步功夫。

易筋者。暗勁也。練時神氣圓滿。形式綿綿。舒展運用。活潑不滯。爲之長筋騰膜。全身筋絡伸展。縱橫聯絡。而生無窮之力。此謂之二步功夫。

洗髓者。化勁也。練時。週身動轉。起落進退。伸縮開合。不可用力。將神意蟄藏於祖竅之內。身體圓活無滯。形如流水。其心空空洞洞。而養靈根。此謂之三步功夫。

第五節　靈通三性

夫三性者。以心爲勇性。眼爲見性。耳爲靈性。此三性者。藝中應用之根本也。然調養之法。眼應不時常尋還。耳應不時常照應。心應不時常警醒。使之精靈三性形影相隨。用之三性靈通運貫如一。蘊發在我。庶不至爲人所賣而無見機之哲也。

第六節　六合爲一

心與意合。意與氣合。氣與力合。內三合也。手與足合。肘與膝合。胯與肩合。外三合也。內外如一。謂之六合。左手與右足相合。左肘與右膝相合。左膝與右肩相合。右之與左亦然也。以及頭與手合。手與身合。身與步合。心與眼合。肝與筋合。脾與肉合。肺與皮合。腎與骨合。總而言之。一動無不動。一合無不合。五行百骸。悉在其中矣。

第三章

第一節　三節合一

三節者。根中稍也。以人言之。頭爲稍節。身爲中節。腿爲根節。以頭言之。

天庭爲稍節。鼻爲中節。地閣爲根節。以中身言之。胸爲稍節。腹爲中節。丹田爲根節。以下部言之。足爲稍節。膝爲中節。胯爲根節。以肱言之。手爲稍節。肘爲中節。肩爲根節。以手言之。指爲稍節。掌爲中節。腕爲根節。換而言之。人之一身。無處不各有三節也。三節之動。不外起隨催三字而已。蓋稍節起。中節隨之。根節催之。無有長短曲直參差俯仰之病。三節之所以貴明。故分而有三。合而爲一也。

第二節　三稍三心歸一

蓋人之一身有四稍。曰血稍。筋稍。骨稍。肉稍。是也。此四稍者。一動而能變化常態。髮爲血稍。屬心。心怒氣生。氣冲血動。血輪發轉。精神勇敢。毛髮雖微。怒能衝冠。氣足血旺。力能撼山。爪爲筋稍。屬肝。手足指功。手抓足蹬。氣力兼並。爪生奇功。齒爲骨稍。屬腎。化精塡骨。骨實齒堅。保齒之道。最忌熱。涼冷冬炎夏。唇包齒藏。年邁耆老。上下成行。舌爲肉稍。屬脾。

脾醒舌靈。胃健肉長。坤田氣壯。肌肉成鋼。充實臟腑。剛柔攸揚。三心者。手心足心及心是也。用之手心要扣。足心要空。人心要靈。明乎四稍。增神力。明乎三心。生靈悉。四稍三心要合。全精神。勇敢力推山。氣動心意隨時用。硬打硬進無遮攔。遇敵要取勝。成功須放胆。四稍三心歸一體運用靈活一混元。

第三節　身法八要

身法者何。縱橫高低進退返側八要而已。縱則放其勢。一往而不返。橫則裹其力開括而莫阻。高則揚其身而身若有增長之意。低則抑其身而身若有攢捉之形。當進則進。鼓其氣。彈其身。而勇往直冲。如蟄龍之昇天。抖搜意也　當退則退。領其氣而回轉。若猿猴之靈通。巧也　至於翻身顧後。後即前。側身顧左右。左右無分上下。察乎人之虛實。運吾之機謀。忽縱而忽橫。縱橫因勢而變遷。忽高而忽低。高低隨時以轉移。時宜進。故不可退而餒其氣。時宜退當以退。而鼓其進。此進故謂之眞進。若返身顧後。而後亦不覺爲後。側身顧左右。而左右亦不覺爲左右。總而言之。其要者則本諸身進而前。四體百骸不令而行。應用在眼。變通在心。勇往在氣。此八要之所以貴明。學者知此道理。可以入道矣。

第四節　步法手法五惡

步法者。寸步墊步箭步快步是也。一尺遠近則用寸步。三五尺遠則用墊步。六七尺遠則用箭步。丈八尺遠則用快步。步法中爲快步最難。是起前足則後足平飛而去。如馬之奔。虎形之蹦。步法者。足法也。足之要義。是起翻落躦。起者如手上翻之撩陰。落躦似大石之沉水。夫足之進忌踢。進則用採。採者如鷹之捉物也。——手法者。單手雙手是也。單手起往上長身而躦。下落縮身而翻。形如鷂子穿林。束身起展翅飛也。雙手上起。兩肱似直非直。似曲非曲。形如舉鼎。手落似猛虎搜山。然其要者有五惡。抓。撲。褁。舒。抖也。拳經云。抓爲毒。撲如虎形似貓捕鼠。褁爲護。身不露。抖要絕力展舒。心毒手如弩。總而言之。手不離足。足不離手。手足亦不能離身。分而言之。則萬法。合而言之。則仍歸一氣。三回九轉是一勢。正此之謂也。上法以手足爲妙。進步以手足爲奇。以身爲綱領。其應用進身而發勢。三節要明。四稍相齊。內五行要和。外五行相隨。遠近因時而用。心一動而即至。其理流行於外。發著於六合之遠。承上接下。勢如連珠箭。何慮他有邪術。知此道理。神奇抜矣。

第五節　戰手要法

二人初次見面。未交手前。要凝神衣氣。審視敵人五行之虛實。（精神體格）注意敵人之動靜。站近敵人之身傍。成三角斜形式△。占左進右。上右進左。進步進身靈活要快。形似蛟龍翻浪。發拳要捲緊。拳緊增氣力。發拳要扣手心。掌扣氣力加。三尖四稍要相齊。心要虛空而狠毒。不毒無名。俗云人無傷虎心。虎生食人意。氣要上下三田聯絡往返。精氣能貫漑四肢。以心爲主宰以眼爲統帥以手足爲先鋒。不貪不歉。不即不離。胆要大心要細面要善心要惡。靜似書生動如雷鳴。審察來人之形勢。彼剛我柔彼柔我剛。剛柔要相濟。進步發拳。先占中門肘不離肋手莫離心。束身而起。長身而落。隨高就高。隨低打低。遠發足手近加膝肘。上打咽喉。下撩陰。左右兩肋在中心。發手莫有形身動勿有勢。操演時面前似有人交手時面前似無人。拳經云打法先上身手足齊至方爲眞。身似遊龍拳打烈炮。遇敵好似火燒身。起無形落無踪。手似毒箭。身如返弓。消息全憑後足蹬。進退旋轉靈活妙。五行一動如雷聲風吹浮雲散雨打沉灰淨。五行合一體放膽即成功

第六節　形意摘要

一要塌腰。二要垂肩。三要扣胸。四要頂。五要提。六橫順要知清。七起鑽

落翻要分明。塌腰者。尾閭上提。而陽氣上升。督脈之理。而又謂之開督。頂者。頭頂。舌頂。手頂是也。頭頂而氣衝冠。舌頂而吼獅吞象。手頂而力推山。提者。谷道內提也。古仙云。緊撮穀道內中提。明月輝輝頂上飛。而又謂之醍醐貫頂。欲得不老。還精補腦。垂肩者。肩垂則氣貫肘。肘垂則氣貫手。氣垂則氣降丹田。扣胸者。開胸順氣。而通任脈之良策。能將精氣上通泥丸。中通心腎。下通氣海。而至於湧泉。橫者。起也。順者。落也。起者。躦也。落者。翻也。起爲躦。落爲翻。起爲橫之始。躦爲橫之終。落爲順之始。翻爲順之終。頭頂而躦。頭縮而翻。手起而躦。手落而翻。足起而躦。足落而翻。腰起而躦。腰落而翻。起橫不見橫。落順不見順。起是去。落是打。起亦打。落亦打。起落如水之翻浪。方是眞起落也。勿論如何起躦落翻。往來總要肘不離肋。手不離心。手起如鋼銼。手落如鈎竿。起者。進也。落者。退也。未起如摘字。未落如墮字。起如箭。落如風。追風趕月不放鬆。起如風。落如箭打倒還嫌慢。足打七分。手打三。五營四稍要合全。氣隨心意隨時用硬打硬進無遮攔。打人如走路看人如蒿草。膽上如風響。起落似箭躦。進步不勝。必有怯敵之心。此是初步明勁有形有象之用也。至暗勁之時用法更妙。起似蟄龍昇天落如劈雷擊地。起無形。落無踪。起意好似捲地風起不起何用再起落不落何用再落低之中望為高高之中望為低打起打落如水之翻浪。不翻不躦。一寸為先。足打七分手打三。五營四稍要合全氣浮心意隨時用。打破身勢無遮攔。此是兩步暗勁有無窮之妙用也。拳無拳。意無意。無意之中是眞意。拳打三節不見形。如見形影不為能。隨時而發。一言一默。一舉一動。行止坐臥。以致於飲食茶水之間。皆是能用。或有人處或無人處。無處不是用所以無入而不自得。無往而不得其道。以致寂然不動。感而遂通。無可無不可。此是三步化勁神化之功用也。然而所用三步之功夫虛實奇正亦不可專有意用於奇正。虛實。虛者。並非專用於彼。己手在彼手之上。用勁拉回落如鈎竿。謂之實。彼手已不着我之手。我用勁將彼之手拉回謂之虛。並非專用意於虛實。是在人之形勢感觸耳。奇正之理亦然。奇無不正。正無不奇。奇中有正。正中有奇。奇正之變化。如循環之無端。所用無窮也。拳經云。拳去不空回。空回非奇拳。正謂之此意也。學者深思格務此理。而要義得矣。

上編形意拳術講義

第一章　總綱

第一節　無極論

無極者。空空靜靜。虛若無一物也。聖人自陰陽以統天地。夫有形者生於無形。無形則天地安足生。故曰有太易太初太始太素而太極之五太也。胎包炁質形之本也。一驚而生炁質形也。氣之輕清而上浮者爲天。氣之重濁而下凝者爲地。然太易者未見氣也。太初者氣之始也。太素者質之始也。太始者炁形之始也。炁形質具而未相離。視之不見。聽之不聞。尋之不得。故曰易也。易無形狀。易變爲一。太極生也。由太極而化生萬物也。如易仍無形。太極亦不生。炁形質渾淪而相離。虛無縹緲復而謂之無極也。

第二節　虛無無極含一炁

虛無者。無形〇之勢也。無極者⊙含一混沌不分之炁也。此炁乃是先天眞一之祖炁。氤氳無形。其中有一點生機含藏。名爲先天之本性命之源。生死之道。天地之始。萬物之祖。陰陽之母。四象之根。八卦之蒂。即太極之發源。而謂之無極也。

無極圖

第三節　起點

開勢先將身體立正。面向前。兩手下垂。兩足九十度之姿勢。心中要空空無物。此勢謂之順行天地自然化生之道。又謂之無極含一炁之勢也。此勢乃爲練拳術之要道。形意拳術之基礎也。

第二章

第一節　太極論

太極者。烝形質之本無極而有極也。自無歸有。有必歸無。無能生有。有無相生。無有盡時。太極中於四象兩儀之母也。其性屬土。天地萬物皆以土爲本故萬物之旺由土而生。萬物之衰由土而歸也在人五臟屬脾。脾旺則人之四肢百骸健全。取諸形意拳中爲橫拳。內包四拳。即劈崩鑽炮之拳。共謂之五德而又謂之五行也。

第二節　太極勢（一）

將無極之姿勢。半面向左轉。左足根靠右足裏脛骨。爲四十五度之姿勢。隨時再將身體下沈。腰塌勁頭頂勁目平視內中神意抱元守一。和而不流口似張非張。似合非合。舌頂上腭谷道內提。此勢取名一烝含四象謂之攬陰陽奪造化轉乾坤。扭氣機於後天之中返先天之眞陽。

退後天之純陰。復本來之眞面目。歸自己之眞性命。而謂之性命雙修也。故心以動而萬象生。其理流行於外。發著於六合之遠。無物不有。心以靜其氣縮至於心中。退藏於密。無一物之所存。故練拳依此開勢爲法也。

太極圖

第三節　太極（二）

左足不動。右足向外斜橫進步。兩手攥上拳。左手陽拳停在左胯。右手隨足進時。向裏捽勁。捽成陰拳。如托物之勢。順胸上起。往前伸出。頭項身拗。目視右拳大指根節。——謂之雞腿。龍身。熊膀。虎抱頭——

雞骹者。獨立之勢。—龍身者。三曲之形。—熊膀者。項直豎之勁。—虎抱者。兩手相抱似猛虎離穴之意。總而言之。即中庸不偏不倚之謂也。

第三章

第一節 兩儀論

兩儀者。是太極流行綿綿不息分散而生也。太極左伸。則爲陽儀。太極右縮。則爲陰儀。所謂陽極必生陰。陰極必生陽。陰陽相生則生生不息。天爲一大天地。人爲一小天地。天以陰陽相合而生三才。三才者天地人。三才之象也。人以陰陽而生三身。三身者上中下三丹田也。三田往返。陰陽相交。爲人性命之根。造化之源。生死之本。即道家之金丹是也。拳術之理亦然。且拳術左分則爲陽儀。右分則爲陰儀。陰陽伸縮生生流行綿綿不息。即拳內動靜起落進退伸縮開闔之玄妙也。所以數不離理。理不離數。數理兼用。方生神化之道。體用一源。動靜一理。分而言之爲萬法。合而言之仍歸太極之一炁也。形名雖殊。其理則一。正是此意義也。

第二節　兩儀生三才

將太極之姿勢。右足不動。左足向前進步。左手同足進時。往前順右肱

兩儀三才圖

推出。至右手腕向下翻勁。成半陰陽掌。右手亦同左手往前推翻時向裏扭勁。回拉至下丹田成半陰陽掌。兩手大指虎口圓開。兩肱曲伸似直不直。似曲不曲。目視左手大指稍。兩肩鬆開。沉勁。兩胯根塌勁。是肩與胯合。兩肘垂勁

兩膝合勁。是肘與膝合。兩足蹬勁。兩手五指伸勁。是手與足合。此謂之三合也。要而言之。是肩催肘。肘催手。腰催胯。胯催膝。膝催足。上下合而爲一。此身勢不可前栽後仰。左斜右歪。正是斜。斜是正。陰是陽。陽是陰。陰陽相合。內外如一。此謂之六合也。總而言之。六合是內外相合。內外相合。即是陰陽相合。陰陽相合。三才因斯而生焉

以後無論各拳各形。開勢皆用三才勢爲主。熟讀拳經。深默溫習。法無不中。拳經云。三才三身。非無因分明配合天地人。三元靈根。能妙用武術之中。即超羣。

第一章　劈拳講義

劈拳性屬金。是陰陽連環成一氣之起落也。氣之一靜。故形象太極。氣之一動。而生物。其名爲橫。橫屬土。土生萬物。故內包四拳。按其五行循環之數。土能生金。故先練習劈拳。上下運用而有劈物之意。其性象斧。

故名劈拳。取諸身內則爲肺。勁順則肺氣和。勁謬則肺氣乖。夫人以氣爲主。氣和則體壯。氣乖則體弱。故學者不可大意也。步法三步一組。前足進爲一。後足進爲二。既進之足復跟爲三。如下圖

第一節（一）劈拳進步路線

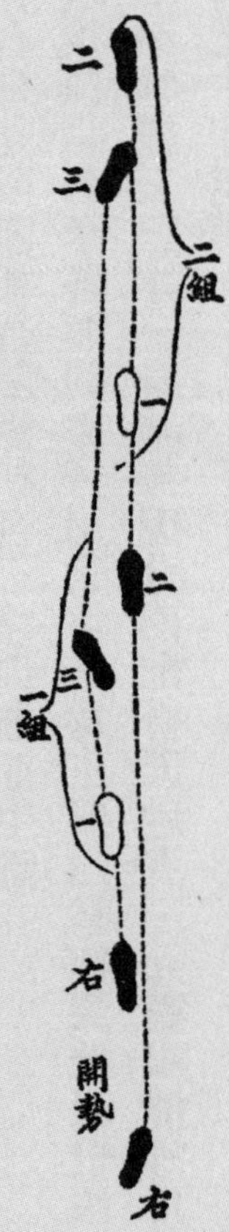

第二節 劈拳起勢

三才勢右足不動。先將左足尖向外前進步。兩手同時攥上拳。右手將拳陰翻靠右臍傍停住。左手將拳往下直落至丹田。（俗名小腹）變

成陰拳。不停。隨時順胸往上躦至心口。手如托物之勢。向前推伸與右

劈拳左勢圖一

足相順。高不過口。低不過喉。兩肱兩股似曲非曲似直非直頭頂勁腰塌勁目視左陰拳大指根節。

拳經云

兩手緊握同變陰拳。左拳落出肘順胸前高不過肩。力垂左肩右拳靠臍肘置肋邊眼平舌捲。氣降丹田。

第三節　劈拳落勢

再換勢。右足向前大進。左足後跟相離一尺五六寸。總而言之。兩足站

離合自己之步法姿勢爲佳。右手同足進時。上起順左肱向前掙勁。推伸下翻成半陰陽掌。高平乳形順足。左手亦同時向下翻。往後拉勁成掌。至左胯前停住。肱股曲伸。頭頂身挺。目視右手食指稍。再演與左勢圖一。右勢圖二手法步法均相同。數之多寡勿拘。—回身總宜出左手左足再回身。

劈拳右勢圖二

拳經云

左足既開。右足大進。手足齊落。推挽兩迅。左足斜跟。右足仍順。指開心齊。後手肋近。手足與鼻列成直陣。

第四節　回身法

左足在前右轉身。（右足在前左轉身。）轉身時。在前之足尖向回扣。稍進成斜横形勢。在後之足隨轉身時。前進成順。前手亦同身轉時挽回成陰拳。緊靠左臍傍。後手亦同轉身時。向裏合勁。順胸往前托伸。目視大指中節。——

拳經云

起勢。蹚落勢翻。行如槐虫。起挑擔。若遇人多。三搖兩旋。正是轉身之謂也。劈拳右轉路線。圖如下。——收勢仍歸于原地

劈拳右回身圖三

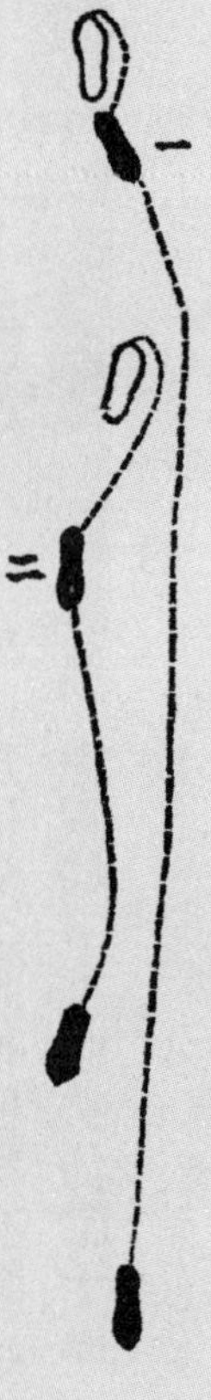

右轉回身進步線圖

第二章　崩拳講義

崩拳性屬木。取之身內屬肝。以拳之應用爲崩拳。此拳之性能。是一氣循還往來。勢如連珠箭。所謂崩拳似箭屬木者是也。練之拳勢順。則肝舒氣平。養心神。增筋力。而無目疾腿疾之患。拳勢逆則傷肝。肝傷則兩目昏花。兩腿痿痛。一身失和。心火不能下降。拳亦不得中立地步。然崩拳勢極簡單。其練法。左足前進。右足相跟相離四五寸。此勢不換步。出左手進左足。出右手亦進左足。一步一組。學者於此拳中。當細研究其妙道焉。

第一節　（一）　崩拳進步路線

第二節 崩拳起勢

崩拳右起勢圖

三才勢。將左足極力向前直進步。右足同時緊後跟步相離四五寸。兩手同足進時攥上拳。右拳虎口朝上。肩肘暗含着勁向前順左肱手腕上猛伸直出。高與心口相平。左拳以暗含勁向裏扭成陰拳。同時往回拉至左胯前陰拳停住。目視右拳虎口。手足起落要相齊。

拳經云

左足先開右足跟進。脛對左踵。骰曲勢峻。兩掌變拳。後陰前順。順者力挽。陰者前奮。兩手互易步法莫紊。

崩拳左勢圖二

第三節　崩拳落勢

將前姿勢左足再向前進步。右足隨同跟步。左手拳暗含着勁虎口朝上同足進時順右肱肘外手腕下往前極力發出。右手亦同左拳外發時。極力順左肱回拉。拉至右胯前停住。目視左手虎口頭頂。

腰挺。氣垂。兩肩鬆開。再換勢。如起勢第一圖。落勢第二圖。多寡勿拘。回身總宜出左手左足再回身。

拳經云

左足再進。右足後跟。右手力挽。左拳陰仲。手足齊出。兩手力均。後拳成陰。前拳要順。目視前手。理要齊心。

第四節　崩拳回身法

崩拳回身。俟左拳打出時再回身。先將左手向裏合勁。至左胯前陰拳停住。左足尖速向回極力扣在右足根後。左足根與右足尖相對成斜八字勢。右足亦同時將足向外斜橫。高提起進步。右手拳亦同足進身轉時向裏扭成陰拳。如托物之勢。往前極力伸發。俟右足着地時將拳下翻成掌。往回拉勁至右胯前。左手亦同右拳下翻。拉時順右肱往前伸發。扭勁成掌。形勢左肩右膝。剪子股拗勢。取名爲貍貓倒上樹。

崩拳回身圖三

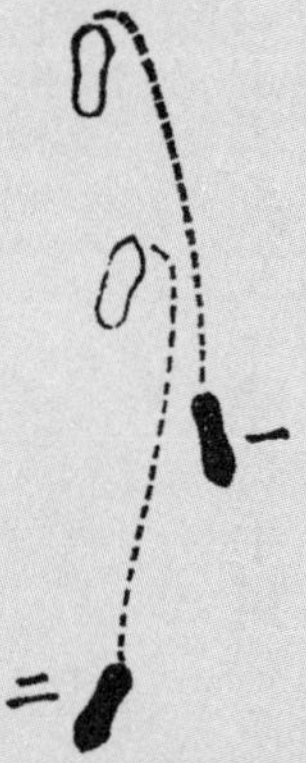

拳經云

左扣右橫。隨時轉身。右足橫提。右拳陰伸。左拳抑抱。推挽力均。手足齊落。兩掌半陰。後掌在肋。前掌齊心。

第三章　躦拳講義

躦拳性屬水。是一氣之流通曲折無微不至也。躦上如龍。突然出水。又似湧泉。趵突上翻。取諸身內屬腎。以拳中爲躦拳。其拳快似閃電。形似突泉。所謂屬水者是也。拳勢順。則眞勁突長。腎足氣順。拳勢逆。則拙力橫生。腎虛氣乖。清氣不上升。濁氣不下降。眞勁不長。拙力不化矣。學者當知之。三步一組。如下圖。

第一節　(一)　躦拳進步路線

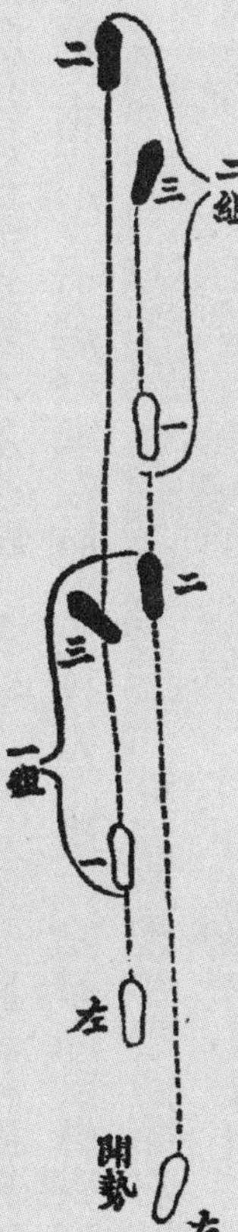

第二節　躦拳起勢

將三才勢。兩手同時攥上拳。左肱停住拳不回。再將左足往前墊步。右足隨後往前大進步。左足後跟步。右拳亦同足進時向裏擰勁。擰的手心朝上。用肩之力將拳順左肱肘上極力上蹬成陰拳。高與鼻齊。左拳亦同足進拳蹬時。順右肱肘往下拉勁。至右肘下二三寸。手心朝下陽拳停住。目視前手小指中節。頭頂肩垂身挺。手足起落要相齊。拳經云。左足先開右足大進。足落拳蹬。覆拳宜迅。左足斜跟。右足仍順前拳取鼻。後拳肘進。手足與鼻列成直陣。

蹬拳右式圖一

第三節　躦拳落勢

換勢時。右足先往前墊步。左足往前大進步。右足後跟步。左拳亦同足前進。時向裏合勁合的手心朝上順右肱肘上極力上躦成陰拳高齊鼻尖。右拳亦同足進拳躦時。向下扣勁扣的手心朝下。順左肱下拉至肘二三寸。陽拳停住。目視前手小指中節。再演手足起落如一起勢二落勢圖手數多寡勿拘。　拳經云右足已開左足大進。右手回撤左手前奮。右足緊跟左足仍順。手足齊落。換勢莫紊。前拳取鼻。後拳齊心。

躦拳左勢圖二

第四節　蹬拳回身法

左足在前。右轉身。右足在前。左轉身。轉身時。先將左足尖向回扣步。扣在右足傍成斜八勢。右足亦隨左足扣時。仍順前進。左手亦同足扣足進時。向上拳回扣至左肩上。右手拳從肋順胸極力上蹬。左拳俟右拳上蹬時。極力往回順右肱拉回至肘。仍如前形手足起落要相齊。目視前手小指中節。收勢仍歸於原地休息。

蹬拳右回身圖

右轉進步路線

第四章　炮拳講義

炮拳性屬火。是一氣之開合。如追擊炮之忽然子彈突出。形最猛。性最烈。取諸身內屬心。以拳中爲炮拳。形似烈火炮彈。所謂屬火者是也。拳勢順則身體舒暢。心氣虛靈。拳勢逆則四體若愚。心氣亦乖。關竅昧閉矣。學者務宜深究此拳也。四步一組。步徑斜曲。圖如下。

第一節　(一)　炮拳進步路線　圓圈是足尖著地之跡

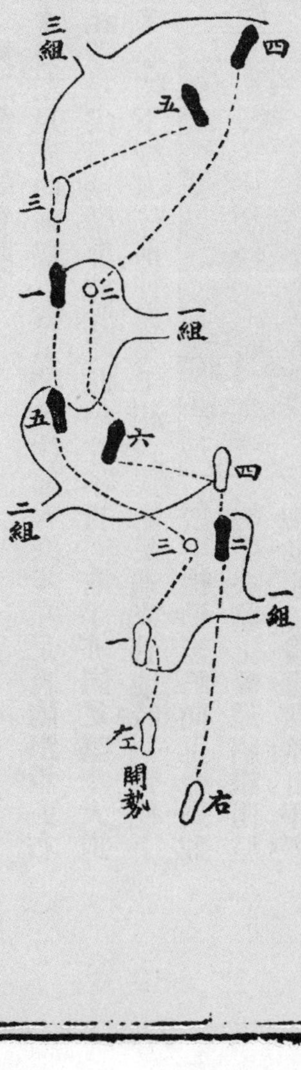

第二節　炮拳起勢

三才勢。左足先向前墊步。右足隨後往前大進步。左足再隨跟步。與右足相並。足尖着地。緊靠脛骨。左肱停住不折。回右手亦同足墊步大進時。手心朝下極力往前伸。與左手相齊。俟兩足並立着地時。一齊往下

炮拳起勢圖一

懷中抱勁。至臍向上合勁。翻的手心。翻上。緊靠臍根。兩肱抱肋。頭頂身挺腰。垂目平視。

拳經云。左足先進。右足隨之。右斜左提。眼觀一隅。掌變陰拳。右肋左臍。有如丁字。莫亢莫卑。兩肘加肋。舌捲氣息。

第三節　炮拳落勢

換勢進步。先將右足墊步左足隨時往左斜方進步。右足再跟步相離遠近一尺二三寸。此足相離之姿勢。總宜合法乎中。（中者不偏不倚之謂也）左手亦同足進時。順着身子往上蹟拳。蹟至頭正額處。向外擰勁。擰至手心朝外。高與眉齊。肘起與肩平。右手亦同足進。左拳上蹟外翻時。從心口往前直出。與崩拳出手勢相同。目視前手虎口。手足起落蹟翻。總要一氣相齊。左右換勢。手足身法均相同。數之多寡自便。

炮拳落勢圖二

拳經云。右拳順出。如石之投。左拳外翻。置之眉頭。足提者進。與左拳侔。左右互換。勿用他求。試詳路線。如龍如蚪。

第四節　炮拳回身法

左足在前右轉身。右足在前左轉身。轉身時。將左足往回扣至右足傍着地右足隨轉身時提起靠左足脛骨。兩拳亦同身轉。足着地時。向懷中抱勁抱至手心朝上緊靠丹田。目視右方。仍斜打譬如路線。南北轉身前打東南者。轉身後則打東北。四隅皆依此類推。再換勢。進步。手法步法。仍與起落二勢圖相同。回身一隅

炮拳回身勢圖一

路線。圖如下。收勢歸原休息。

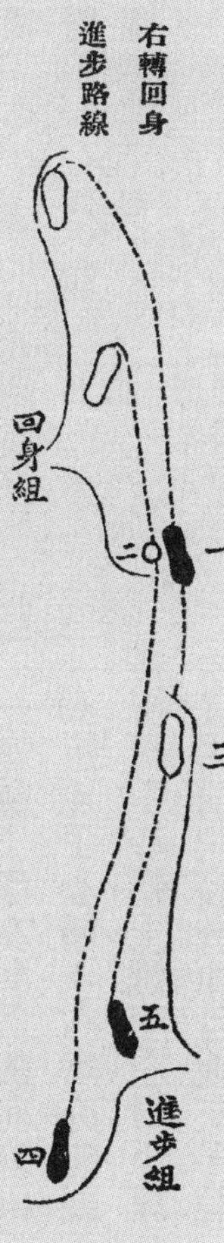

第五章　橫拳講義

橫拳性屬土是一氣之團聚而後分散也。取諸身內爲脾。脾屬土。土旺則臟腑滋和。百疾不生。所謂屬土者是也。取之於拳爲橫拳。拳勢順似土之活。滋生萬物。五臟和靄。一氣灌溉。拳勢逆。氣努力拙。內傷脾土。五臟失調。外似死土。萬物不生。故此拳爲五拳之要素。學者宜愼思明辨之。步法斜徑。類劈蹟而非直線。其灣曲又似炮拳。三步一組。如下圖

第一節　（一）　橫拳進步路線

橫拳起勢圖一

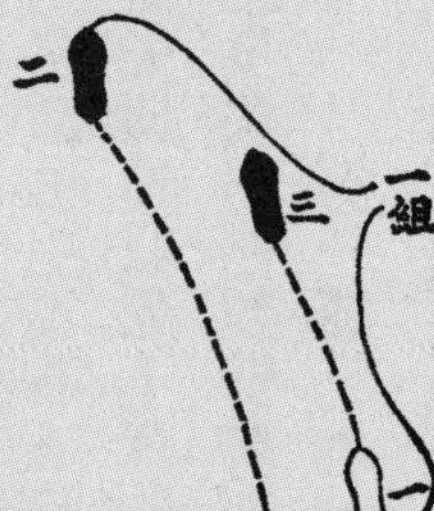

第二節　橫拳起勢

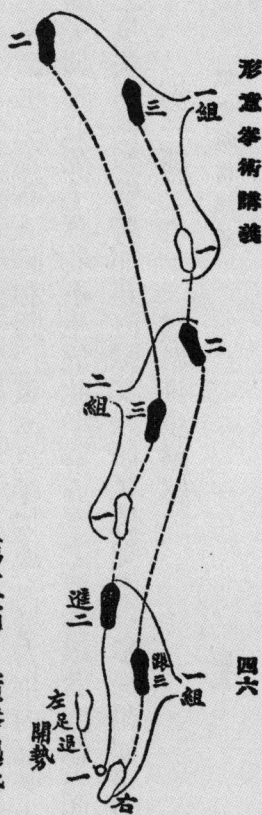

三才勢。先將左足向後退提起靠右足裏脛骨。兩手同足退時。一齊攥上拳左肱曲挺向裏扭勁。扭至手心朝上。右拳亦向裏扭至手心朝上。進至左肘下靠住。兩肩向裏合扣。目視左手陰拳小指中節。　拳經云。左足退提。右足孤立。兩手成拳。前陰後陽。陰者平肩。陽者肘匿。眼平身正。舌捲屏。息。停峙雖。暫厚其足力。

第三節　橫拳落勢

再進步換勢。先將左足極力往前進步。右足隨後緊跟步。右手心向上。

橫拳落勢圖二

亦同足進跟時。順左肱肘外往上起鑽。順左膝成陰拳。左手拳亦同時向裏合勁。順右肱回拉勁。至臍根。拳心朝下靠住身斜步坳。目視右手陰拳。小指中節。——再演進步換勢。前足先進。後手順肱上捽前進而鑽。後足大進。前手回拉裏扣而翻。既進之足復爲後跟。數之多少。自便。回身勢。宜出右手。左足再回身。拳經云。足進而落已成剪形。後拳外躦。前拳退行。躦翻小指。退與肘平。下拳橫出。故以橫名。手足變換。反用則成。

第四節　橫拳右轉回身法

橫拳右轉回身法圖三

右足在前左轉身。左足在前右轉身。轉身時。前足尖回扣。扣在後足外傍。後足隨進。扣足再跟。右手拳回扣在左肩上。左手同時與足前進。從肘外上撐而躦。扣肩之手。同時亦往下拉勁。手法。足法。目標。與前勢相同。收勢歸於原地休息。

橫拳回身路線

第六章　五行合一進退連環拳講義

連環者。是五行變化合一之勢也。五行分演則謂之五行拳。而爲五綱也。合演則謂之七政。而爲連環也。五拳合爲一套。條進條退循環連珠陸離光怪貫爲一氣。進退無常。故謂之進退連環拳。——練習連環拳以五行拳爲母。五拳未能習熟。不必學連環拳。此拳共有十六勢。進退各法。往復練之範圍亦小。是亦有引長之法。練習於寬地不見其短。引長之法。至十六節不轉身。仍打崩拳。接前勢。則往復足六十四勢矣且連環拳法以應用爲主。連環拳可以連環用之。握之則成拳。伸之則成掌。故可變爲連環掌。此徒手之應用也。刀劍棍槍戟鏈鞭鐧。無不可用有刃則砍。有鋒者則刺。無鋒刃者則打。不過手勢之變化耳。故器械無論大小長短雙單皆可包括無遺。苟明變化之功。何往而不應用哉。

第一節 進退連環路線圖

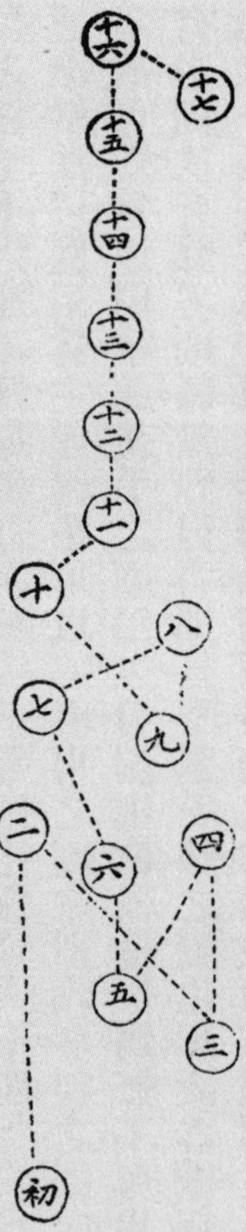

第二節連環崩拳圖

第二節

初勢仍用三才勢開首。繼則兩手攥拳。先由左足進步。向前右足緊跟。右手拳虎口朝上。同時順左肘往前極力直出。左手亦同時往後拉至身邊。緊靠胯前。目視前手虎口。勢如行軍陣圖。衝鋒直擊之意。與崩拳初勢相同。

第三節　連環拳換勢

右足向後退步。左足向右足後大退步。左手亦同時向裏擰勁。擰至手心朝上。順右肱肘外極力伸蹭。與右膝相順。右手向裏合勁合至手心朝下。順左肱回拉至右胯。翻成陰拳停住。左肩右膝身擰步坳剪子股勢。目視前手小指中節。如行軍陣圖。出左翼。名爲青龍出水。又謂退步橫拳。

第三節青龍出水圖

第四節　連環拳換勢

再將右足往前直進步。成順勢。左足稍動爲斜橫。右拳擰勁虎口朝上。亦同足進時。從右肋向前順左肱與心口平往前直出。左拳向裏擰。擰至手心朝下。與右手前出足進時往後拉。手心朝上。陰拳至右胯前停住。目視右手虎口。此勢如行軍陣圖。出右翼名爲白虎出洞。又謂順步崩拳。

第四節白虎出洞圖

第五節　連環拳換勢

先將左足向後墊步。右足隨後跟步。與左足相並。立右拳亦同時向懷中抱回緊靠臍上。與左拳相並。兩拳手心朝上。兩肩合扣兩肱抱肋。目順右肩平視。此勢如行軍陣圖。兩翼翕合。又謂之猛虎歸洞。

第五節猛虎歸洞圖

第六節　連環拳換勢

左足不動。右足仍向右斜順進步。兩拳手心向裏。同時順胸上起至頭額正處。再將兩拳向外擰勁。擰至手心向外成十字形。隨往左右分開。如畫上半圓形。兩肱各順肩。兩拳手心朝上。目視右手大指中節。此勢如行軍陣圖。兩翼分張之意。拳名鶻形。通稱謂之白鶴大展翅。

第六節白鶴展翅圖

第七節　連環拳換勢

左足先向左斜方進步。右足隨後跟步。足尖點地。緊靠左足脛骨。兩拳同時分左右向下翻落如畫下半圓形。往懷中合抱變成陰拳。緊靠臍腹。右手拳在左手心內托住。頭頂勁肩合勁。目向右方平視。勢如行軍陣圖。兩翼合一。謂之炮拳。合身。又名猛虎蹲穴。

第七節猛虎蹲穴圖

第八節　連環拳換勢

左足不動。右足隨向右方進步。右拳同時上起。起至眉前為度。起時拳朝外摔。摔至手心朝外。左拳虎口朝上。於右足進步時。同時左拳突向前直出。與右膝相順。目視前手虎口。勢如行軍陣圖。兩翼合一直擊銳進。故名炮拳。又謂之猛虎出洞。

第八節猛虎出洞圖

第九節　連環拳換勢

左足不動。右足向後退步。右手拳同時向裏合肘。合至陰拳。與左肩平順。左手拳向懷合抱。成陰拳至臍上。從心口上躦。順右肱肘裏往前劈出。變成半陰陽掌。右手拳亦同左拳往前劈時。往回極力拉勁。至右胯前。變成陰陽掌。大指緊靠小腹。目視前手食指稍。勢如行軍陣圖。兩翼合一。退步返擊之意。謂之包裹。故名退步鷹捉。通稱劈拳。

第九節退步鷹捉圖

第十節　連環拳換勢

左足向前進步。右足微跟步。左手同時合勁。曲回至心口。中指。無名指。食指。拳回。大指。食指。伸開手心朝上。從胸往上摔。向左橫勁。分開伸出

第十節雙龍出水圖

此勢連演兩次。右手俟左手二次再出時。將中指無名指小指拳回。大指食指分開。手心朝上。從右肋向左肘裏上鑽。往右橫勁分開。肘要齊心。手要順膝。身曲形坳。兩膝相合。左手腕同時向下翻勁往回拉。至左胯。手心朝下。臍傍停住。目視前手食指稍。此勢真意爲鼉形。性屬土。在拳名橫。勢如行軍

陣圖雙龍出水。

第十一節　連環拳換勢

左足往前先墊步。右足尖向外。斜橫着進步。左手同時往裏合至手心

第十一節貍猫上樹擒拿圖

朝上。從胸上躦順右肱。往前伸至極處。將手。下翻成掌。與右膝相順。右手亦同足進。左手上躦時。向裏扣勁。往回拉至右胯。成陽掌。大指緊靠小腹。兩肩鬆開。垂勁頭頂勁身曲兩骽。形如剪子股勢。目視左手食指稍。如行軍陣圖。爪牙之勢。又謂之貍猫上樹。擒拿燕鵲之形也。

第十二節　連環拳換勢

先將右足向前墊步。左足極力向前大進步。右足再後跟步。兩足相離四五寸。右手同時攥上拳。虎口朝上。齊心口。往前順左肱極力猛伸左手亦同足進。拳出時。攥上拳。往回拉。向裏合勁。將手心翻上。至左臍傍緊靠停住。目視右手虎口。兩足兩手之意。是換勢快步崩拳。勢如行軍直進擊敵。謂之追風趕日不放鬆之法也。

第十二節快步崩拳圖

第十三節　連環拳換勢

右足不跟。左足向前直進步。左手同時將拳虎口擰上。往前順右肱。手腕直進。極力猛抖。催出。與左膝相順。右手拳同時抓回。往後拉勁。拉至右胯前。拳心朝上。靠緊臍腹。兩肩內合。外開。頭頂身挺。目視左手拳。虎口。勢如行軍陣圖。承上聯下。合爲一氣。如連珠箭直擊敵之意。謂之一步順勢崩拳。

第十三節順勢崩拳圖

第十四節　連環拳換勢

左足不進。右足尖向前斜橫着進步。右手拳。同時向裏擰。擰至拳心朝上。從胸上躦。往前極力曲伸。肘順心口。拳與鼻齊。左手拳。亦同時下扣。抓回向後拉至臍上。拳心朝下。身子陰陽相合。小腹放在右大骽上。兩骽剪子股形。頭頂項豎。目視前陰拳小指中節。謂之熊形出洞。

第十四節熊形出洞圖

第十五節　連環拳換勢

右足不動。左足向前進步。左手拳同時向裏擰。從胸上鑽。順右肱。推勁。至極處。將手腕向下翻扣變成陰陽掌。右手拳亦同時向下翻扣。成陽掌。往後拉。回至臍。緊靠頭頂肩扣兩肱曲伸目視左手食指尖。拳名謂之鷹捉。鷹熊二形合演。謂之門志。此二勢在連環拳內演之謂之步步鷹熊

第十五節步步鷹熊圖

第十六節　連環拳回身法

回身。與崩拳回身之法相同。拳名爲貍猫返身倒上樹。此勢如行軍敗

中取勝之意。拳經云。左扣右橫隨勢轉身。右足橫提右拳陰伸。左拳抑抱推挽力均。手足齊落兩掌半陰後掌在肋前掌齊心。敗中取勝勢如行軍。貍猫抖威上樹返身。洞明道理五行歸根。

第十六節回身法圖

右轉回身路線

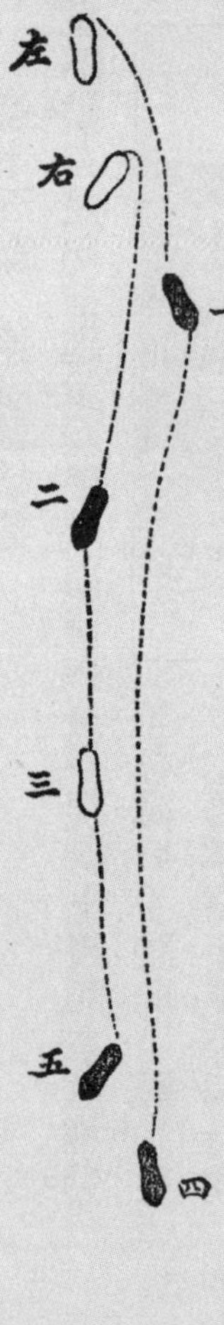

第十七節　連環拳回演

先將右足墊步。左足再向前大進步。右足再跟。右手同時往前發出。左手拉回。形勢與第二節崩拳同。

第十八節　連環拳

青龍出水與第三節勢同

第十九節　連環拳

白虎出洞與第四節勢同

第二十節　連環拳

猛虎歸洞與第五節勢同

第二十一節　連環拳

白鶴展翅與第六節勢同

第二十二節　連環拳

猛虎蹲穴與第七節勢同
第二十三節　連環拳
猛虎出洞與第八節勢同
第二十四節　連環拳
退步鷹捉與第九節勢同
第二十五節　連環拳
雙龍出水與第十節勢同
第二十六節　連環拳
貍猫上樹擒拿燕鵲與第十一節勢同
第二十七節　連環拳
快步崩拳與第十二節勢同
第二十八節　連環拳

順勢崩拳與第十三節勢同

第二十九節　連環拳

熊形出洞與第十四節勢同

第三十節　連環拳

步步鷹熊與第十五節勢同

第三十一節　連環拳

貍猫返身上樹與第十六節回身勢同

第三十二節　連環拳

仍歸於右手崩拳勢同

第三十三節　連環拳

歸原三才勢停住休息

第七章　五行生尅拳術講義

五拳者。五行也。五行有生有尅。而五拳亦有生尅之理。故有五行生尅拳之謂也。夫五行火生於寅。旺於午。絕在亥。亥屬水。故尅火。水生於申。旺於子。絕在巳。巳屬土。故尅水。木生於亥。旺於卯。絕在申。申屬金。故尅木。金生於巳。旺於酉。絕在丙。丙屬火。故尅金。蓋土生旺於戊巳而衰敗在卯。木如金能生水。水能生木。木能生火。火能生土。土能生金。相反者爲尅。順者爲生。然五拳生尅之義。陰陽消長之理。如循環之無端。拳術運用之無窮也。五行拳合一演習。是謂之運環。單習是知致格物。總之在明明德。在止於至善而已。

先哲云。爲金形止於劈。爲木形止於崩。爲水形止於鑽。爲火形止於炮。爲土形止於横。五行各用其所當。於是明心見性。至止於至善

故拳明五行生尅變化。則進道矣。

第一節　五行生尅拳合演

第一節

預備甲乙二人。上下合手。對舞。甲上手。乙下手。均站三才勢。乙先進步發手打崩拳。甲兩足與手同時往回退步。用左手扣乙的右拳。右手仍停在右肋。

第二節　五行生尅拳合演

第二圖

甲　乙

乙再將左手發出打崩拳。甲隨將左足尖向外斜橫着進步。左手同時向裏合勁。與鷹抓出手勢相同。躦至乙的左手外邊。手心朝下扣住乙的左手。右手從右肋順自己的左肱往前劈出。劈乙的頭面肩膊。右足與手同時進至乙的左足外後邊落下。乙崩拳。甲劈拳。崩拳屬木。劈拳屬金。故劈拳能破崩拳。謂之金尅木。

第三節　五行生尅拳合演

第三圖

甲　乙

乙兩足不動。隨將左拳手腕往上捧翻。翻的手心朝外。高與眉齊。右手拳向甲的心口窩發拳打出。謂之炮拳。崩拳屬木。炮拳屬火。木能生火。故崩拳能變炮拳。炮拳屬火。火尅金所以炮拳能破劈拳也。

第四節　五行生尅拳合演

第四圖

甲隨時將右足撤步退回。左拳往下落向裏合勁肘靠肋壓住乙的右手。自己右手亦同時抽回右肋。左足同時向乙的左足裏邊進步。右拳手心向上順着自己心口與左足進步着地時。向着乙的左手裏邊下頦蹟出。兩目視乙的眼。此謂蹟拳能破炮拳。劈拳屬金。蹟拳屬水。是金生水。劈拳能變蹟拳。水尅火故**蹟拳能破炮拳也**。

第五節　五行生尅拳合演

第五圖

甲　乙

乙右足微動不退。左足向後退一步。右拳同時撤回右肋。左手亦同時斜着向甲的肘上胳膊橫勁推出。用橫勁破甲的直勁。故謂橫拳破蹟拳。炮拳屬火。橫拳屬土。火能生土。所以炮拳能變橫拳。土尅水。橫拳所以能破蹟拳也。

第六節 五行生尅拳合演

第六圖
甲 乙

甲左足向前墊步。右足跟步。右手同時向後拉回右肋。左手亦同時似箭一直衝着乙的心口擊出。是謂左手崩拳。鑽拳性屬水。崩拳性屬木。水生木。是鑽拳能變崩拳。木尅土。故崩拳能破橫拳也。

第七節　五行生尅拳合演

第七圖
甲　乙

乙再將左手退回左肋。左足向後退回一步。右手同時發出扣甲左拳。

第八節 五行生尅拳合演

甲再向前進步。打右手崩拳。乙將右足撤回一步。右手退回右脇。左手伸出扣甲右拳。

第八圖
甲　乙

第九節　五行生尅拳合演

甲仍前進步出手直擊。打左手崩拳。乙兩足向後退步。左手同時向甲左肱外邊伸出扣住右拳。

第九圖

第十節　五行生尅拳回身合演

乙右足向甲左足外邊進步。右手拳向甲脖項劈出。與甲第二圖出手相同。

回身再演時一切身手步法。甲乙二人互相變換。甲循乙的法勢。乙循甲的法勢。每演擊一蹚。甲乙則互相換勢一次。如此循還不已。變化亦屬無窮。故聖云大而化之之謂神。神而不知之之謂聖。又曰。唯天下至誠。惟能化。正是五拳變化之妙諦也。

第十圖

甲　乙

形意拳術講義

编辑者

天津县国术馆教务主任薛颠

炼修并重　仁勇且智

徐永昌[1]　题

注 释

① 徐永昌：字次宸（1887—1959 年），山西崞县人，民国时期著名军事家，国民革命军陆军一级上将，代表中国政府于密苏里号军舰上接受日本投降。

刚勇和平

张荫梧[1] 赠

注释

① 张荫梧：字桐轩（1891—1949年），河北博野人，国民党陆军上将，曾任晋军军长、北平警备司令、北平市长等职。

形意拳术讲义序

吾国以[1]积弱不振受侮列强[2]，其原因固非[3]一端，而国人轻视体育，忽于运动，盖[4]亦致病之由。拳术者，中华固有之国粹，最良之体育运动法也。昔管子重拳勇，齐人隆技击，[5]拳术之兴，敻乎尚已[6]。降及隋唐，少林派出，外家始盛。说者谓太宗之平王世充，昙宗等亦与有力焉。[7]迨至宋时，而张三丰以绝技名世[8]，内家祖之[9]。明代则张松溪为最著，而陈元赟[10]乃传其术于扶桑[11]，彼日本之所谓柔术、武士道者，皆吾国拳术之流派[12]也。迩年张子岷[13]、李芳宸[14]诸先生懔国势之凌夷，悯国术之衰微，[15]力加提倡，特立专馆，各省闻风兴起者颇不乏人，而河北省国术馆亦早成立。惟自来精斯道[16]者，传授心法，多属面命[17]；承学之士，钻仰[18]为难。今束鹿薛君以国术之名家[19]，阐师传之秘奥，编为讲义，解以详图，俾[20]学者得以研究科学之方法，领悟其中之妙用，较诸般刺蜜谛之译《易筋经》与夫前人之著《内功图说》者，亦何多让！[21]吾知付梓后，其有裨于[22]体育而可以强国者必非浅鲜，宁仅个人健身之助而已哉！惜作义于国术未窥门径，扣槃扪烛之谈[23]，固知其无当于要旨[24]也，是为序。

中华民国十八年十月

荣河傅作义[25]叙于天津警备司令部

注释

① 以：因为，由于。

② 受侮列强：受侮于列强，被列强国欺侮。

③ 固非：固然不是，固然不止。

④ 盖：大概（表示推测）。

⑤ 管子重拳勇，齐人隆技击：管子重视拳勇之士，齐国人中技击之术很兴盛。管子，春秋时齐国的国相管仲，曾经辅佐齐桓公成就霸业。拳勇，技击，相当于现在所说的拳术、武术、搏击术。《国语·齐语》："桓公又问焉，曰：'于子之乡，有拳勇股肱之力秀出于众者，有则以告。'"《荀子·议兵》："齐人隆技击。"

⑥ 敻乎尚已：（中华武术的历史）已经很久远了。敻，音 xiòng，远。尚，久远。已，语助词。

⑦ 说者谓……有力焉：有人说，唐太宗李世民平定王世充，少林寺的昙宗和尚率领的僧兵也是有功劳的。

⑧ 名世：有名于当世，在当时很著名。

⑨ 内家祖之：内家拳尊（他）为祖师爷。

⑩ 陈元赟：明朝杭州人（1587—1671 年），字义都，号芝山、升庵、既白山人，是中国武术传入日本的鼻祖。

⑪ 扶桑：即日本。

⑫ 流派：支派。

⑬ 张子岷：即张之江（1882—1966 年），字子姜，号保罗，曾用名子岷。河北盐山人；曾任国民革命军高级将领和国民政府高官；曾创办南京中央国术馆及国术体育专科学校，任馆长及校长。

⑭ 李芳宸：即李景林（1885—1931 年），字芳宸，号广古川。河北省枣强县人。东北军将领，近代著名武术家。南京中央国术馆的创始人之一，曾任副馆长。

⑮ 懔国势之凌夷，悯国术之衰微：惧怕国势的衰颓，担忧国术的衰微。懔，音 lǐn，危惧，戒惧。凌夷，也写作“淩夷”，即“陵夷”，衰颓。悯，音 mǐn，忧郁。国术：武术。

⑯ 斯道：这门学术，即武术。斯，这。

⑰ 面命：面授。

⑱ 钻仰：学习，钻研。《论语·子罕》：“仰之弥高，钻之弥坚。”

⑲ 今束鹿薛君以国术之名家：现在，束鹿人薛君以国术名家的身份。束鹿，即束鹿县，今河北省辛集市，系本书作者薛颠先生的老家。国术，即武术，民国时称为“国术”。

⑳ 俾：音 bǐ，使。

㉑ 较诸般刺蜜谛……亦何多让：（薛颠先生写作此书的意义）与般刺蜜谛翻译《易筋经》和前人写作《内功图说》相比较，也不差多少！较诸，较之于，与……相比较。般刺蜜谛，中古时印度高僧，达摩《易筋经》的汉译者。《内功图说》，我国气功养生名著，据说出自少林，作者不详。

㉒ 有裨于：有益于，有补于。裨，音 bì，增添，补凑，引申为补益。

㉓ 扣槃扪烛之谈：片面、不内行的看法。这是写序者自谦的话。槃，即盘。宋代苏轼在《日喻》中说，一个盲人不认识太阳，有人告诉他说“太阳的形状像铜盘”，该人敲盘敲出了声音，到后来听到钟声，他就以为是太阳。又有

人告诉他说“太阳的光像灯烛”，该人摸烛台了解了它的形状，后来他摸到龠(一种乐器)，就以为是太阳。

㉔ 要旨：主要的旨趣，意思。

㉕ 傅作义：字宜生（1895—1974年），山西荣河（今属临猗）人。保定军校第五期毕业，原为阎锡山部属，历任国民革命军高级将领、国民政府高官。1949年1月以华北“剿总”总司令身份接受中共提出的和平解放北平（今北京）条件率部起义。写作该序时，傅作义任天津警备司令。

真精气神

李服膺[1] 题

注释

① 李服膺：字慕颜（1890—1937 年），山西醇县人，保定军校步兵科第五期毕业生，曾任国民革命军 68 师师长、61 军军长等职。

形意拳术讲义序言

龙门《史记》，特传游侠。[①]游侠者流，盖出于墨家之“兼爱”。兼爱以仁，游侠以武，其相反而实相成者，犹孔氏之勇生于仁，佛氏之大雄无畏生于慈悲也。[②]自韩非以犯禁讥游侠，于是汉代朱家、郭解之俦，悉以鸣不平罹当世法吏之文网。[③]而所谓搢绅先生者流，群囿于规行矩步之中，动以击剑扛鼎之术为卑卑不足道。[④]至习其术者，亦顿忘其所自，变本加厉。下之，浪迹江湖，苟藉鬻技以求活；上焉者，适激于一人意气之私，辄不惜昂藏七尺，快报复而干禁例。[⑤]盖自海禁大开以来，中土游侠之风渐趋衰歇。而所谓东方广博雄武之民族地位，亦遂侪印缅而偶韩越[⑥]，几于销失尽矣！薛子国兴以所著《形意拳术讲义》示予，且请序。予于斯无能为役[⑦]，惟读其自序，有素慕朱家、郭解之遗风一语。朱家、郭解，《游侠传》首出也，[⑧]薛子以是自期，其殆知道者矣。抑吾重有感焉：国于天地必有与立，[⑨]蕞尔东瀛[⑩]，以崇尚武士道崛起；病夫突厥[⑪]以尊奉伊斯兰中兴。吾国民族地位之衰落，基于民族精神之销失。本党总理孙先生力主恢复吾国民族固有之精神，以恢复民族地位。卓识伟见，名论不磨。至所谓民族固有之精神，曰忠孝，曰仁爱，曰信义，曰和平，游侠之重然诺、本兼爱，殆亦其所不遗者也。[12]薛子之为是书，愿以之为恢复民族地位之佽助[13]，勿以之为博取一人声誉之筌蹄[14]。尤愿读是书者，勿使习其技、擅其术为私人快恩仇、罹法网，甚或堕于江湖鬻技之流，贻达者之非笑，招外人之讥侮。是则予之所深望也夫。

黄岗曾延毅[15]序于天津特别市公安局

注 释

① 龙门《史记》，特传游侠：龙门人司马迁的《史记》，特意为游侠撰写了《游侠列传》。传，音 zhuàn。

② 游侠者流……生于慈悲也：游侠这一行，大概是由墨家的“兼爱”演变而来的。兼爱以仁为本，游侠以武勇为本，二者之间表面相反、其实相成的关系，就像儒家的“仁”产生勇敢，佛家的“慈悲”产生“大雄无畏”。

按：由于“兼爱”，所以在弱者遭受欺凌时挺身而出，见义勇为，行侠仗义，所以说游侠盖出于兼爱。勇生于仁、无畏生于慈悲也是此理。

③ 自韩非……法吏之文网：自从韩非拿“以武犯禁”来否定游侠，于是汉代的朱家、郭解等人都因为打抱不平而受到当时法律的惩处。俦，音 chóu，伴侣，同辈。罹，音 lí，遭遇。法吏之文网，执法者根据法律条文给予的惩处。

按：韩非在《五蠹》中说，“儒以文乱法，侠以武犯禁”。

④ 而所谓搢绅……卑卑不足道：而那些所谓的搢绅先生们，都把自己束缚在规行矩步之中，动不动就把击剑扛鼎之术看作卑微不值得说道的事情。搢绅，也写作“缙绅”“荐绅”，旧时官宦的装束，亦用为官宦的代称。

⑤ 至习其术者……而干禁例：至于练习这种技术的人，也忘记了学习武技

的本来宗旨，而且更加严重。下等的，浪迹江湖，借卖艺以求生；好一点的，激于一时私愤，不知爱惜自己的七尺身躯，报仇出气，干犯国家法禁。昂藏，高峻、挺拔，这里指仪表雄伟，气宇不凡。七尺，七尺高的身躯。

⑥ 侪印缅而偶韩越：与印度、缅甸、韩国、越南等弱国成为一个等级了。侪，音 chái，同辈。偶，配偶。

⑦ 无能为役：（自己的能力）不配受本书作者的役使（指作序），这是作序者自谦的话。《左传·成公二年》："克于先大夫，无能为役。"

⑧ 朱家、郭解，《游侠传》首出也：朱家、郭解，是《史记·游侠列传》中前两名人物。

⑨ 国于天地必有与立：立国于天地之间，一定有支撑它立起来的东西。

⑩ 蕞尔东瀛：小小的日本。蕞，音 zuì，小的样子。

⑪ 病夫突厥：被称为"西亚病夫"的奥斯曼帝国。突厥，指 1923 年土耳其共和国成立前的奥斯曼帝国。

⑫ 游侠之重然诺……不遗者也：游侠的看重然诺、以兼爱为本的精神，应当也是它（即孙中山先生说的"民族固有之精神"）所包括在内的。殆，大概，恐怕。不遗，不会遗漏。

⑬ 佽助：帮助。佽，音 cì。

⑭ 筌蹄：筌，捕鱼的竹器。蹄，捕兔器。后来以"筌蹄"比喻达到目的的手段。《庄子·外物篇》："得鱼而忘筌……得兔而忘蹄。"

⑮ 曾延毅：字仲宣（1893—1965 年），湖北黄冈人，保定陆军军官学校第五期炮兵科毕业生。曾任天津市公安局长、陆军中将。

中央国术馆副馆长　李景林

自强不息

贺芝生　题

形意拳术讲义叙

古者大学之教，春夏学干戈，秋冬习羽籥。[1]凡以节宣其志气，调剂其刚柔。文武之道，一弛一张，[2]不可偏废也。拳经之作，始自达摩，传者有易筋、洗髓诸篇，岳武穆又增易骨篇。其后张三丰者，亦精其道。世称少林、武当为拳家内、外二宗。拳之为术，其粗者求之于血气，其精者求之于神明。形不离意，意不离形，此形意拳之所以名也。学者因意以求形，因形以求意，得之于心，应之于手，斯可以为老斫轮[3]矣。泰西[4]今言三育，吾国古称六艺[5]。礼乐者，德育之事也；射御者，体育之事也；书数者，智育之事也。后世既分文武为二科，又重文而轻武。儒者方劳神敝精于八比帖括之学[6]，以雍容雅步为贤，固不屑留意于技击[7]；武科功令[8]但取弓刀石及骑步射，亦不足以窥拳术之堂奥；而方外之士[9]，习以自卫，且以嘘噏吐纳[10]、熊经鸟申[11]为养生助道之具，秘不轻言；至江湖游侠之徒，亦各有师承，久之亦渐失其真。求能深造有得、因技而进乎道者，难乎其选矣！有造育人才之责，不为之倡率，明立课程，而草泽之间，转相授受，以为秘术。其弊也，勇于私斗，怯于公战，遂以好勇斗狠为世诟病。此非拳术之过，而国家重文轻武之过也。诚使国家复古大学之法，知有文事者之必有武备[12]，则知所谓春夏干戈者，即今之所谓兵势体操也；所谓秋冬羽籥者，即今之所谓柔式体操也。今之学校，当列拳术为专科。拳术既精，本根先立，一切枪法、剑术，不旬日而可皆通，所谓操本以求末也。古人尝言：非强有力者不能以行礼。行礼犹然，而况于军旅之事乎？吾知拳术之有益于吾国民者非浅鲜也，故乐薛君之书之成，而为之叙。

中华民国十有八年岁在己巳十月之望

乐寿老人曹锟[13]

注 释

① 春夏学干戈，秋冬习羽籥：春夏学习干戈之舞，秋冬学习羽籥之舞。这话出自《礼记·文王世子》。干，盾牌。戈，一种古代青铜兵器。羽，雉羽。籥，音 yuè，中国古代编管乐器。干戈，是手执干戈的一种武舞。羽籥，是持羽吹籥的一种文舞。

② 文武之道，一弛一张：张，拉开弓弦；弛，放松弓弦。文，周文王。武，周武王。比喻工作的紧松和生活的劳逸要适当调节，有节奏地进行。《礼记·杂记》："张而不弛，文武弗能也；弛而不张，文武弗为也。一张一弛，文武之道也。"

③ 老斫轮：斫（zhuó）木制造车轮的老手。比喻经验丰富、技艺精湛的技术能手。见《庄子·天道》。

④ 泰西："极西"的意思。旧时称西方国家，一般指欧美各国。

⑤ 六艺：西周学校教育内容，起源于夏、商。包括礼、乐、射、御、书、数。见《周礼·地官·保氏》。

⑥ 八比帖括之学：泛指应付科举考试的学问。八比，八股文的别称。帖括，唐制，明经科以帖经试士，把经文贴去若干字，令应试者对答。后来考生因为帖经难记，于是总括经文编成歌诀，便于记诵应试，称为"帖括"。

⑦ 技击：战国时齐国步兵的攻守之术，后世称搏击敌人的武艺为技击。

⑧ 功令：古时国家对学者考核和录用的法规。

⑨ 方外之士：世外之人。方外，世外。原指言行超脱于世俗礼教之外的人，后指僧道。

⑩ 嘘噏吐纳：即呼吸吐纳。噏，音 xī。

⑪ 熊经鸟申：一种古代导引术。状如熊之攀枝，鸟之伸脚。经，悬吊。

⑫ 有文事者之必有武备：从事国与国之间的和平谈判等外交活动时，必须有军事威慑和军事斗争的准备。文事，指和平谈判等外交活动。武备，指军事斗争的准备。据《孔子家语·相鲁第一》记载：鲁定公十年（公元前500年），定公与齐侯（齐景公）会于夹谷，孔子摄相事，曰："臣闻有文事者必有武备，有武事者必有文备。古者诸侯并出疆，必具官以从，请具左右司马。定公从之。"

⑬ 曹锟：（1862—1938年）直系军阀首领。字仲珊，直隶天津（今天津市）人。天津武备学堂毕业，曾任中华民国第五任大总统。

形意拳术讲义序

己巳冬，薛君颠以所著《形意拳术讲义》见示[①]，属[②]为之序。余于武术，未闻其奥。溯自北居以来，获交李君存义[③]。其为人朴厚刚讷[④]，若无所能[⑤]。至人有急难[⑥]，则义形于色，不屈不避，殆古侠义之流欤？因是得闻武术之原委，有形意、八卦、太极之分，皆传始于达摩，发明于岳武穆、张三丰。至清初，英杰辈出，任侠之风盛行海宇，而燕赵尤多慷慨悲歌之士。及今政府以[⑦]武术为中华国粹，立国术馆以作其气[⑧]，各省无不闻风兴起。薛君所著《形意拳术讲义》，绘图立说，以发明前贤不传之真秘。余浏览一周[⑨]，虽未能窥其精微，惟觉[⑩]果能[⑪]至诚不息，深造其域，至拳无拳、意无意之境，即道法自然之妙，乃能会达摩面壁之真意，岂仅拳术而已哉！是为序。

滇南[⑫]王人文[⑬]序于析津[⑭]遯庐[⑮]

注释

① 见示：给我看，见，用在动词前，表示他人行为及于自己。

② 属：通“嘱”，托付。

③ 溯自北居以来，获交李君存义：回想自从到北方定居以来，得以与李存义先生交往。溯，音 sù，逆流而上，引申为追求根源。李存义，河北深县人，清末民初形意拳大师，天津“中华武士会”创办人，伟大的武术教育家，本书作者薛颠的师父之一。

④ 朴厚刚讷：朴实，忠厚、刚毅、木讷。讷，音 nè，出言迟钝。

⑤ 若无所能：好像没有什么本事。

⑥ 至人有急难：及至遇到别人有急难的时候。

⑦ 以：因为。

⑧ 作其气：振作人民的精神。

⑨ 一周：一遍。

⑩ 惟觉：只是觉得。

⑪ 果能：（如果）真的能够。果，果然，真正。

⑫ 滇南：云南的别称。云南本来简称为“滇”，又因位于国土南部，故又名滇南。

⑬ 王人文：当时的社会名流，1911 年曾短期担任“护理四川总督”的职务。

⑭ 析津：古蓟州地名，唐代时叫幽州，辽代叫燕京，后又改称“析津府”（所在今北京城西南）。以后析津这个名字被废，但从元代之后，在一些文人的笔下，此地名成了北京的代称。

⑮ 遯庐：即遁庐。

序

我国武术一技，历代传授有人。尝观史籍所载，古侠义者流[1]，其慷慨之风，颇足动人钦慕[2]。如鲁之朱家，汉之郭解[3]，皆以倜傥任侠著名当代[4]。近如张三丰、甘凤池[5]辈，亦名冠一时。考其事迹，良以孝义为先提[6]，迥非[7]江湖滥技持艺于世者同日而语!

盖斯术之有三要：良师、工夫与天资耳。尝观前辈之精于斯技者，长衣缓带，状态雍容，循循然若儒者相[8]，是技[9]之不尚[10]气血之勇也，乃其明证！而闻其风者，能使鄙者宽而薄者敦[11]，乡闾兴[12]廉让之风，社会踵[13]倜傥之迹，足为人世之金鉴[14]。

今我薛师讳颠，近著《形意拳讲义》，探本穷源，立论本乎至理，为形意拳开一曙光。人人手[15]此一篇，如得良师之在坐，虽不能精通其技，亦足为强体寿世之宝筏[16]焉。爰[17]缀数言为序。

民国十八年己巳

孟冬大城吕子光谨序

注释

① 古侠义者流：古代的侠义之一类人。

② 动人钦慕：使人钦佩羡慕，触动人的钦慕之情。

③ 鲁之朱家，汉之郭解：《史记·游侠列传》中人物。朱家是汉高祖同时代人，原鲁国人。郭解是汉武帝时人。

④ 著名当代：著名于当时，在当时很出名。

⑤ 张三丰、甘凤池：张三丰，明代道士，也有说是宋、金、元时人，近现代内家拳鼻祖。甘凤池，清代著名武术家。

⑥ 良以孝义为先提：大多以忠孝仁义为前提。

⑦ 迥非：远不是。迥，音 jiǒng，远。

⑧ 循循然若儒者相：遵循规矩，就像文人的样子。循循然，遵循规矩。

⑨ 是技：这种技艺。是，这。

⑩ 不尚：不崇尚。

⑪ 闻其风者，能使鄙者宽而薄者敦：听说和看到他们的道德风范，能使心胸狭隘的人变得心胸宽广，刻薄的人变得厚道。风，道德风范，作风。出自《孟子·万章下》，原文是"故闻柳下惠之风者，薄夫敦，鄙夫宽。"

⑫ 兴：兴起。

⑬ 踵：音 zhǒng，跟随。

⑭ 金鉴：金贵的镜子，宝镜。金，金贵，贵重。鉴，镜。

⑮ 手：执，持。

⑯ 宝筏：佛教语，比喻引导众生渡过苦海到达彼岸的佛法。

⑰ 爰：乃，于是。

序[①]

形意拳术之始[②]，本乎[③]天地之大端[④]，与夫造化之原理。盖天地之辟于一无炁也，万物之生于无知，形意之成，本于无意[⑤]。盖无意至极生有意，意诚心正，乃至于静，静则察候六脈，溶煆二气[⑥]。静极生动，动而震发四肢，贯通百骸，是谓先天存乎静，后天藏诸动也[⑦]。故意为体而形为用，静属阴而动属阳。体运动静[⑧]，得阴阳消长、生生之功，而真一之气生焉。孔子曰，冬至养其阳，夏至养其阴。孟子曰，吾善养吾浩然之气。此皆修养正气之谓也。盖形意拳之原理，则培养天一[⑨]之道[⑩]，由后天而达于先天也。重阳不重阴，太刚必折；重阴不重阳，过柔不坚。刚柔相济，乾坤之道乃成。古之传斯术者，多以心法口授，缺少记载，使后学茫然不知途径。己巳夏，余客津门，值薛师颠公著《形意拳讲义》一书，使佐其成。余曾进纾[⑪]蒭[⑫]意以罄管见，自夏徂冬，编纂始竣。深望学者，愿作探本求源之道，须以涵养正气为先要，庶不背斯术之本旨。谨贡数言，以为之序。

民国十八年己巳

孟冬平定[⑬]戣卿[⑭]赵汝励谨序

注释

① 序：这篇序文系全文抄录《李洛能形意拳谱·形意拳序》，只有“己巳夏”至“愿作探本求源之道”，及“庶不背斯术之本旨。谨贡数言”是作序者自己撰写的。

② 始：创始。

③ 本乎：根据于，根据。

④ 大端：本原。

⑤ 盖天地……本于无意：天地是从一种无炁状去开辟出来的，万物都是由无知的那一点产生，形意的生成，根源于无意。

⑥ 静则察候六衇，溶煆二气：若能做到真正的静，则能体察到六脉的运行，溶煆阴阳二气。衇，音 mài，同“脉”。煆，音 xiā，加热，烧炼。

⑦ 是谓先天存乎静，后天藏诸动也：这就叫作先天的真气存在于静之中，后天的生机蕴藏于动之中。

⑧ 体运动静：身体进行有动有静的锻炼。

⑨ 天一：即“先天真一之气（炁）”，这是简称。

⑩ 道：方法。

⑪ 纾：音 shū，通“抒”。

⑫ 蒭：音 chú，古同“刍”。刍意，谦称自己的言论。

⑬ 平定：当为山西省平定县。

⑭ 戬卿：当为赵汝励的字。

序

拳技一门，有内外两家之分。世人尝云[①]，外家祖达摩祖师，曰少林派[②]；内家祖张三丰先生，曰武当派。考其真理，名殊而源同[③]。其所为拳之用劲，不外乎形与意。形与外者为形，蕴于内者为意，故有形意拳之名。世人不察，以为外家主刚，内家主柔，乌知[④]刚柔不可偏重，且亦未尝须臾[⑤]离也。

吾国拳术发明最早，历代世有传人，然皆口传心授，隐秘其法，不以著书传后人。讲武术者，莫不宗其所传。浅俗歌诀记之，不能详其理法。然习之者，多[⑥]不能尽[⑦]其术。且传者又多秘其要法，言术而不言理[⑧]，后学更无从问津矣。吾友薛君，精技术[⑨]，视此[⑩]传法年久必当失传，因著《形意拳术讲义》注及图解，以饷同志。详其动作，志其应用，而于五拳、十二形之练法尤为重视。此书出，而慕形意拳者得有途辙[⑪]，真空前绝后之作也！读者苟能悉心体会，豁然贯通，自不难阶及神明[⑫]。

余不敏，敢真言不贡？[13]对于斯术未窥门径，略赘数言而矣。

民国十八年岁次己巳

中秋热河[14]卢文熯序

注释

① 尝云：曾经说。尝，曾，曾经。云，说，讲。

② 外家祖达摩祖师，曰少林派：外家拳尊达摩祖师为始祖，叫作少林派。

③ 考其真理，名殊而源同：考察它们的真实情况，名称虽然不同，但是它们的源流是相同的。

④ 乌知：岂知。

⑤ 须臾：一会儿。

⑥ 多：大多，大多数。

⑦ 尽：完全（掌握）。

⑧ 言术而不言理：讲技术而不讲原理。

⑨ 技术：武技，武术。

⑩ 此：这种。

⑪ 塗辙：车轮的辙迹，比喻行事的途径。“塗”同“途”。

⑫ 阶及神明：达到神明的境界。王宗岳《太极拳论》：“由着熟而渐悟懂劲，由懂劲而阶及神明。”

⑬ 余不敏，敢真言不贡：我不聪明，哪敢不把实话贡献出来？不敏，谦辞，相当于不才，不明达，不敏捷。

按：这句话是《左传》笔法。

⑭ 热河：旧省名，简称热，省会承德市，是中国旧行政区划的省份之一，1914 年划出，1955 年撤销。

序

溯[1]自海禁开放，欧风东渐，国人多舍其固有之国技[2]，而求泰西之运动，以致精奥之国技，反而中隐[3]，良可叹也！苟欲得健全之精神，必先有健全之身体；欲求身体之强健，厥惟国技是赖[4]。国技之种类繁多，形意拳其最著者也。

吾师薛国兴先生，总角[5]习武，历经名师，从李振邦[6]先生习形意，得其真传。凡教授同人，无不悉心指导，不惮烦劳，以提倡国技、强国强种为己任，惧初学之无指证，故著此书。寿[7]我同志，功非浅鲜，诚体育之宝筏[8]也。

谨书数语，以志铭感。

衡水崔占斌谨序

注释

① 溯：追溯，溯源。

② 国技：国术，武术。

③ 中隐：中途隐没。

④ 厥惟国技是赖：则只有依赖（我们的）国技。厥，句首助词。惟，只有。国技，即国术，今称武术。

按：这句话也是《左传》笔法。

⑤ 总角：古时儿童束发为两角形，引申为童年。总，聚束。

⑥ 李振邦：现代形意拳鼻祖李洛能的嫡孙。

⑦ 寿：保存，保全。

⑧ 宝筏：佛教语。比喻引导众生渡过苦海到达彼岸的佛法。

序

夫技也，何以生？生于人之智。天地变端，万物莫测，龙之行云，虎之御风，凤翔岐山，鹤唳长空，莫非技也[①]！曩达摩老祖之五禽、心意等禅功，皆相禽兽之形而始得[②]。迨[③]宋岳鄂王[④]，复精研之，而易名曰形意。

清季，吾乡戴先生[⑤]精是拳，后传直隶深州李老能先生，而盛行于直隶[⑥]。渊虽不敏，然慕形意之真传久矣。今岁至津，得列薛国兴先生门墙[⑦]，始得知形意之真意。薛先生之习形意也，师事李老能之孙李振邦先生，故所传弥真[⑧]。恐后学之误入歧途也，故将所学著为书，以鸣于世。其殷殷诱掖之心，诚自古所罕见。尚望学者用心求之，庶不负著者之苦心也。

山西祁县郭仰渊拜撰

注释

① 天地变端……莫非技也：天地变化万端，万物神妙莫测，龙在云中飞行，虎驾风奔走，凤翱翔于岐山，鹤鸣叫于长空，（凡此种种）无不是一种特技。

② 曩达摩老祖之五禽……而始得：从前，达摩老祖创五禽戏、心意拳等禅功，都是观察各种禽兽的特长才得到。曩，音 nǎng，往昔，从前。相，音 xiàng，观察。始，才。

③ 迨：音 dài，等到。

④ 岳鄂王：岳飞。宋孝宗时，岳飞冤案平反。宋宁宗时，追封为鄂王。

⑤ 戴先生：即戴龙邦，山西祁县人，李洛能之师。

⑥ 直隶：旧省名，明代就有该省名，但辖境前后有所不同。1928 年改省名为河北。

⑦ 得列薛国兴先生门墙：得以正式拜薛国兴先生为师。

⑧ 薛先生之习形意也……故所传弥真：薛先生习形意拳，跟的是李老能的嫡孙李振邦先生，所以他所传的形意拳更加正宗。弥，音 mí，更加。

序

吾国武术，昌明于战国，至明清而大盛。虽有内、外家之分，武当、少林之别，而提倡体育，激发尚武精神之意则一[①]。惜乎滔滔天下，武人不文，文人不艺[②]，又多[③]私相授受，几无专书以资考证。虽代有传人，亦皆湮没不彰，诚可慨也！

宋岳忠武王[④]，创造形意拳，备极精妙，为诸拳冠[⑤]。及乎今世，能者少，精者尤少。吾师薛公颠，字国兴，河北束鹿人，任侠好义，精技击之术。独慨民族积弱，国步艰难，发愤为雄，提倡国术。精研形意者凡数十寒暑，得其精奥。阐发玄微，著为一册，以公诸世。嘉惠后学，功至[⑥]深远。而岳忠武王之苦心，以[⑦]将以[⑧]先生之书而永垂不朽矣！书将付梓[⑨]，谨贡弁言，以志敬慕。

民国十八年十一月

门人武邑李廷俊 宝抵[⑩]李学志谨序于析津

注释

①一：一致。

②武人不文，文人不艺：武人不懂文，文人不会武。

③多：大多，多数。

④岳忠武王：岳飞。

⑤冠：位居第一。

⑥至：极，最。

⑦以：此“以”字为“亦”字之误。

⑧以：由于，因为。

⑨付梓：古书先雕木板后印刷，雕板称为“梓”，所以称刊印书籍为“付梓”。

⑩抵：原文“抵”误，当为“坻”。

校阅者

天津县国术馆秘书李学志

达摩先师面壁图

达摩真意

达摩大师传下《易筋》《洗髓》二经，习之以强壮身体，还①人之初生面目，妙用无穷，如天地化育万物之理。拳经之理，即天地之理。又人之性也，亦道家之金丹也。理也，性也，金丹也，形名虽异，其理则一②，故久练可以同登圣域③，能与天地合其德，与日月合其明，与四时合其序④。学者胡不勉力而行之哉?

道经云：

道真窍不真　修道枉劳神

祖师真诀窍　知窍即成真

注释

① 还：返回，恢复。

② 理也……其理则一：理学家所讲的“理”，儒家所讲的“性”，道家所讲的“金丹”，名称虽异，其实是一种东西。

③ 故久练可以同登圣域：所以长久练习易筋经、洗髓经，（我们拳术家）可以与理学家、儒家、道家一样达到神仙、圣人的境地。

④ 能与天地……合其序：品德能与天地一样，明智能与日月一样，（他的）工作秩然有序，与春夏秋冬四时更替一样。《易经·文言传》：“夫‘大人’者，与天地合其德，与日月合其明，与四时合其序，与鬼神合其吉凶。”

岳武穆先师之像

岳忠武王形意拳要诀

形意拳者，乃岳忠武王之所创，是合五纲[①]、十二目[②]统一全体之功用也。取诸于身内，则使全体自强不息，《中庸》所谓“博厚配地，高明配天，悠久无疆”是也；取之于外，则使四体百骸，内外合其道，诚者自诚，而道自道也言似离奇，实习则明。以拳之应用，则内中之气独能伸缩往来，循环不已，充周[③]其间。视之不见，听之不闻，洁内华外[④]，洋洋流动。上下四方，无所不有，无所不生。至此，拳内真意、真劲，诚中形外[⑤]，而不可掩矣。学者于此用心，至诚无息，可以至无声无臭之极端矣。

先贤云：拳若练至拳无拳，意无意，无意之中是真意，始达其境矣。

注释

① 五纲：指五行拳。

② 十二目：指十二形拳。

③ 充周：充塞周流。

④ 洁内华外：（这种内气）使人内部清洁、外表光华。

⑤ 诚中形外：诚于中，形于外。这种内气在内部充实和周流，自然地在外形动作上表现出来。

校阅者

天津县国术馆教员张春生　　河北省国术馆董事高志仁

自序

盖夫体育一途[①]，创自达摩大师，名为内经。迨至[②]宋朝，鄂王岳飞，又精研内经之意义，化生五行金木水火土、十二形天地间动物之形之原理，因名为形意拳，总合五纲、十二目，统一全体之功用。在内为意，在外为形。是术乃修身之本源，明心见性、还原之大道，揽阴阳之造化，转乾坤之枢机，诚强身之捷径也。元明二代，几于失传。至明末清初时，浦东诸冯姬际可[③]字隆风先生，适[④]终南山，得鄂王内经数编，乃精是术[⑤]。后传曹继武康熙己酉科武试三元，供职陕西靖远总镇先生。先生致仕归里[⑥]，隐居田园，授徒以娱晚年。山西戴龙邦尽得所传。戴先生再传直隶深县李飞羽先生世称老能，李先生又传门徒多人。其子太和又传李振邦李飞羽之孙、李太和之子、薛振纲等。

余幼年失学，天性好交[⑦]，慕朱家、郭解之遗风，喜习武，爱击剑，得侍李振邦、薛振纲二先生为师，从学二十寒暑，微悉门内旨趣。但诸先生耳提面命之外，未著专书。余恐后之学者，不知形意拳真意，爰[⑧]不辞固陋，立愿[⑨]叙述。每势备一图像，附一浅说，表明拳内原理，以及五行、十二形之性质、精神、奥妙，再按各拳之形势，编辑成书，以公诸同好。非敢自矜[10]一得，聊[11]以广技击之传耳。实无文法可读，然与[12]吾所学，未敢稍有悖谬。未尽善处，想必不免，尚望明斯理者，随时指正为盼。

注释

① 一途：即“一门”。

② 迨至：等到。

③ 姬际可：字龙峰（1602—1683年），有的文献写为龙凤、龙风、隆丰、隆风，明末清初山西蒲州诸冯里尊村（今山西省永济市张营乡尊村）人，是心意六合拳、形意拳的始祖。

④ 适：往，去到。

⑤ 是术：这门武术。是，这。

⑥ 致仕归里：辞去官职，回到原籍。致仕，将官职、俸禄归还朝廷，即辞官。致，致送。

⑦ 交：交游。

⑧ 爰：乃，于是。

⑨ 立愿：立志。

⑩ 自矜：自夸。

⑪ 聊：姑且。

⑫ 与：古通“于”。后同，不另注。

凡 例

○ 是编拳经讲义及演式，分辑上、下两编。提纲挈领，条目井然。按次习之，自能潜通默悟。

○ 是编拳经总论三章，首自发明无极，空空静静。自微而显，一变而为炁化形质，与夫阴阳之造化。乾坤之旋转，放之而为天地六合，卷之则退藏于默。拳术之起始，实基于此。

○ 是编自无一炁之起源，而发育五行及十二形之真义，并附正面、侧面、左右、前后之图说，以备学者考其原始。

○ 是编次列讲义三章，详解人身之四肢百骸、动静伸曲。内而通乎脏络，外而合于五行，必使体舒气畅，运用自然，始为得体。

○ 是编附拳法初学入门及三害等，以备习者有所遵循。

○ 是编再次，则排演拳术。自五行拳起，首章劈拳，五章横拳，六章连环，七章五行生克炮拳，为上编。

○ 是编列举形意拳术，有单行、对舞之要诀。单行者，自身练习也；对舞者，二人互相挎击[①]也。习之纯熟，自有心得。倘遇敌手，便可运用灵敏。

〇 是编列举十二形，实本天地万物化生之理，取世间禽兽之具有特能者，妙效其性能，摹效时久，自能精神入体。

〇 是编第一章，自龙形演起，至十二章鹰熊斗志势终，为下编。

〇 是编形意拳术，实与卫生、健身关系至切。如能长习，则疾者能愈，弱者可强。男女老少皆可练习，既无折腰屈膝之痛苦，又无跃高纵险之危劳。斗室席地，长衣缓带，亦可演习。虽属武术，迹近文雅。

〇 是编对于军、学两界最为合宜。逐日列入课程，较之体操，定能收事半功倍之效。

〇 是编各势皆附一图，并详释身法、步法、进退路线，务使学者易于明了。

〇 是编练习时，身手分阴阳，以前心为阴，脊背为阳；手心为阴，手背为阳；以手大母指朝上为阴阳掌；以右肩在前，或左肩在前，皆为阴阳身；拳虎口朝上，为阴阳拳。

〇 是编学者，如按书摹习时久，自能登峰造极；若以己意擅改，则必失之毫厘，差之千里矣。学者且以慎之。

注释

① 抟击：原稿“抟击”误，当为“搏击”。

形意拳术讲义目录[①]（上编）

总纲目录

第一章　171

第一节　五行名称　171

第二节　形体合一　172

第三节　拳经解释　173

第二章　182

第一节　初学入门规矩　182

第二节　练习三害　183

第三节　呼吸合道　184

第四节　三步功夫　185

第五节　灵通三性　186

第六节　六合为一　187

第三章　188

第一节　三节合一　188

第二节　四稍三心归一　189
第三节　身法八要　190
第四节　步法手法五要[2]　191
第五节　战手要法　194
第六节　形意摘要　195

形意拳术目录

第一章　总 纲　205
第一节　无极论　205
第二节　虚无无极含一炁　207
第三节　起点　208
第二章　209
第一节　太极论　209
第二节　太极势（一）　210
第三节　太极势（二）　211
第三章　213
第一节　两仪论　213
第二节　两仪生三才　214

五行拳术目录

第一章　劈拳讲义　217

第二章　崩拳讲义　225

第三章　躜拳讲义　232

第四章　炮拳讲义　239

第五章　横拳讲义　246

第六章　五行合一进退连环拳讲义　252

第七章　五行生克拳术讲义　273

注 释

①目录：原文的目录与正文有不一致或缺失、混乱的情况，在此重做补充和整理。

②要：原文“要”字误，应作“恶”。

总 纲

第一章

第一节　五行名称[①]

五行者，金木水火土也。内有五脏，外有五官，皆与五行相配。心属火，肝属木，脾属土，肺属金，肾属水，此五行隐于内也；舌通心，目通肝，鼻通肺，耳通肾，人中通脾，此五行之著[②]于外也。且五行有相生之道：金生水，水生木，木生火，火生土，土生金。又有相克之义：金克木，木克土，土克水，水克火，火克金。五行相生，所为变化无穷；五行相克，取其破他人之手势。盖拳术取名之义基在此矣。取诸于身，则使五脏充实，而全体无亏。运用在外，能使体舒和畅；运用在内，能使清气上升，浊气下降。坚实其内，整饰[③]其外，以为平时练习之规则。

注 释

① 五行名称：这一节为《李洛能拳谱·五行名称》原文。《李洛能拳谱》，

以下简称《李谱》。

② 著：表现。

③ 整饰：也写作“整饬（chì）”，整顿，使有条理。

第二节　形体合一[①]

《易》云：两仪生四象，四象生八卦，八卦生八八六十四卦之数，皆从太极分散而来。[②]太极者，天命之性，即人之心意也。[③]意者心之所发也。人为万物之灵，能感通诸事之应，是以心在内，而理周[④]乎物；物在外，而理具[⑤]于心。是故心意诚于中，而万物形[⑥]于外。在内为意，在外为形，合于术数[⑦]。近取诸身内，为五行；远取诸物外，为十二形。内外相合而形生焉。[⑧]明乎斯理，则天地万物形体之合一，皆可默悟矣。

注释

① 形体合一：这一节为《李谱·形体合一》原文。

②《易》云……皆从太极分散而来：《周易》中说：由两仪演变出四象，四象演变出八卦，八卦演变出八八六十四卦。

按：《易传·系辞上》第十一章：“是故易有太极，是生两仪，两仪生四象，四象生八卦。”这里的“太极”是指派生万物的本源。“两仪”，即阴阳，任何事物都有阴阳两面。“四象”，即太阳、太阴、少阳、少阴。对待双方各有阴阳，互相搭配，即成四象。“八卦”，《周易》中的八种图形，即乾、坤、震、巽、坎、离、艮、兑。《易经》六十四卦是由八卦两两相叠组成的。

③ 太极者……心意也：太极，就是天赋予人的本性，也就是人的心意。《中庸》第一章："天命之谓性。"

④ 周：周遍。

⑤ 具：具有，具备。

⑥ 形：表现。

⑦ 术数：也叫"数术"。"术"是方法，"数"是气数。就是以种种方术观察自然界现象，推测人和国家的气数和命运。

⑧ 近取诸身……而形生焉：近则取之于人自身的特长，而成为五行拳；远则取之于各种动物的特长，而成为十二形拳。内意与外形相结合，从而产生了形意拳。诸，"之于"合音。《易传·系辞下》第二章："古者包牺氏之王天下也，仰则观象于天，俯则观法于地，观鸟兽之文，与天地之宜，近取诸身，远取诸物，于是始作八卦，以通神明之德，以类万物之情。"

第三节　拳经解释

盖夫形意拳术之道理，内有七拳、八字、二总、三毒、五恶、六方、六猛、八要、十目、十一格、十四打法、十六练法、九十一拳、一百零三枪之秘诀。次序述之以标明其义，使学者知其真意焉。

七拳法　头、肩、肘、手、胯、膝、足，共七拳。

八字诀　斩：劈拳。截：攒拳。裹：横拳。胯：崩拳。挑：践拳、燕形。顶：炮拳。云：鼍形拳。领：蛇形拳。

二总法　三拳[①]、三棍[②]为二总。三拳，是天地人生法无穷。三棍，是天地人生生不已。

三毒法　三拳、三棍精熟即为三毒。

五恶法　得其五精，即为五恶。

六猛法　六合练成即为六猛。

六方法　内外合一即为六方。

八要法　心定神宁，神宁心安，心安清净，清净无物，无物气行，气行绝象，绝象觉明，觉明则神气相通③，万象归根矣。

十目法　即十目所视之意。

十一格法　自七拳格起，至士农工商为十一格。

十四打法　手、肘、肩、胯、膝、足，上下、左右、前后，共十二拳。头为一拳，臀为一拳，共十四拳。名为七拳，故有十四处打法④。此十四处打法，变之则有万法，合之则为五行、两仪仍归一炁也。

注释

① 三拳：攒拳、裹拳、践拳为三拳。

② 三棍：鼚棍、炮棍、反背棍为三棍。

③ 神气相通：元神与元气相通。

④ 十四处打法：手、肘、肩、胯、膝、足各有二处，再加头打和臀打，共有十四处打法。

十六处练法　一、寸；二、践；三、蹿；四、就；五、夹；六、合；七、疾；八、正；九、胫；十、警；十一、起落；十二、进退；十三、阴阳；十四、五行；十五、动静；十六、虚实。

寸①：足步也。践②：腿也。蹿③：身也。就④：束身也。夹⑤：

如夹剪之疾也。合：是内外六合。心与意合，意与气合，气与力合，是为内三合。肩与胯合，肘与膝合，手与足合，是为外三合。疾[6]：疾毒，内外合一。正：直[7]。看正却是斜，看斜却是正[8]。胫[9]：手摩内五行也[10]。警[11]：警起四稍也[12]，火机一发物必落[13]。磨胫磨胫，意气响连声。[14]起落：起是去也，落是打也。[15]起亦打，落亦打，起落如水之翻浪，才成起落。[16]进退：进是步低，退是步高。进退不是枉学艺。[17]阴阳：看阴而却有阳，看阳而却有阴。[18]天地阴阳相合能下雨，拳有阴阳相合能成一气，气成始能打人成其一块[19]，皆为阴阳之气也。五行：内五行要动，外五行相随。动静：静为本体，动则作用。若言其静，未漏其机；若言其动，未见其迹。动静正发而未发之间，谓之动静也。虚实：虚是精也，实是灵也，精灵皆有，成其虚实。拳经歌曰：精养灵根气养神，养功养道见天真；丹田养就长命宝，万两黄金不与人。

九十一拳法　三拳，分为二十一拳；五行生克是十拳，分为七十拳，共九十一拳。一拳分为七拳，是前打、后打、左打、右打、上打、下打、不打、打打。

一百零三枪　天地人三枪，各分四柱，是三四一十二枪；五行五枪，是五七三十五枪；八卦八枪，是七八五十六枪，共一百零三枪。

注 释

① 寸：寸步。拳经有“不钻不翻，一寸为先”之谈。适于发拳抢攻与接发拳抢攻。

② 践：踩，践踏。这里应有极力进步的意思。

③ 蹿：钻身。向上或向前冲。

④ 就：束身蓄势。“就”是往一块凑的意思。如抽烟的人借火，说“就个火”。又如说“吃窝窝头就咸菜”。

⑤ 夹：无论进退，两腿要夹紧，就像用剪刀剪切东西一样。

⑥ 疾：憎恨，恨。原解释为“疾毒”，毒，痛恨。

按：这里的“疾”，很多人解成“快”，这是错误的。

⑦ 正：直：正，就是直的意思。直，就是直对正前方。

⑧ 看正却是斜，看斜却是正：正，就是身上所蓄之劲势及我的心中目标正对前方。斜，就是45度斜身，也就是“阴阳身”。

⑨ 胫：当为“经”，指“摩经”，即用手臂摩擦腹肋部经脉。

⑩ 手摩内五行也：用手臂摩擦与内脏有关的经脉。内五行，指五脏。

⑪ 警：当为“胫”，指“摩胫”，指拳术进退时，两小腿胫骨要互相摩擦。

⑫ 警起四稍也：即“惊起四稍也”。头发及浑身毛发为四稍，手指、脚趾为筋稍，牙齿为骨稍，舌为内稍。在紧急情况下，心一惊而发欲冲冠，爪欲透骨，齿欲断筋，舌欲催齿，进入一种动物性的应急状态，这叫作“惊起四稍”。

⑬ 火机一发物必落：用火枪打猎时，在已经瞄准，做好一切准备的前提下，火机一发，猎物必被打落。火机，火枪的击发、打火机构。物，猎物，要猎取的动物。落，猎物被击中要害，从高处跌落下来。这是说，在惊起四稍的应急状态下，能够做到：自己一发拳，对手便应声倒地落败。

⑭ 磨胫磨胫，意气响连声：此句当为“摩经摩胫，意气响连声”。这一句是进一步总结、解释第九条“经”和第十条“胫”：两肘夹肋，两臂摩擦肋腹部经脉；两腿相夹，两小腿胫骨互相摩擦。于是增大身体内矛盾力，同时一提肛、一竖项、一瞪目皱眉则发欲冲冠，手指、脚趾一扣则爪欲透骨，一切齿则齿欲断筋，一顶舌则舌欲催齿，从而进入“惊起四稍”的良性应激状态，则击敌时

自然意与气合，连发雷声（或现于外，或转于内），如此，则摧敌何难？

⑮ 起是去也，落是打也：起是接近对方并与对方充分吻合且将对方拱起。落是将对方打翻。

⑯ 起亦打……才成起落：起也是打人，落也是打人，一起一落就像水中翻起一朵浪花，这才成为起落。

按："落"当然是打人，而"起"也不仅仅是接手防御、接近与吻合，"起"本身拱起对方，已经造成了对方的败势，所以说起也是打人。又，一起一落，相应的重心一升起、一降落（练习是单方，实战是双方），从整体形象上看，就像水中翻起的一朵浪花。

⑰ 进是步低……枉学艺：进步时，要压住重心，前脚贴地而进；退步时，要提住气息，后脚提高一些后退。进退不对白学艺。不是，即不对，不正确。枉，徒然。

按：进步略低，则易于将对方拱起打翻。退步略高，则不易被对方的冲势压倒，同时谨防身后有物拦绊。

⑱ 看阴而却有阳，看阳而却有阴：阴不离阳，阳不离阴，阴阳相合，才能立于不败之地。一立势或一作势，则我身既有缩回部分（阴），也有突出部分（阳）；既有柔顺合化的部分（阴），也有倔强支撑的部分（阳）；既有形的不顶抗（阴），又有意的不屈服（阳），一阴一阳，动态平衡。

⑲ 成其一块：成为一个整劲。

拳经曰[①]：

头打落意随足走，起而未起占中央。
脚踏中门抢他位，就是神仙亦难防。[②]
肩打一阴反一阳，两手只在洞中藏。
左右全凭盖他意，舒展二字一命亡。[③]
肘打去意上胸膛，起手好似虎扑羊。

或往里拨一旁走，后手只在肋下藏。[4]

拳打三节不见形，如见形影不为能。

能在一思进，莫在一思存。[5]

能在一气先，莫在一气后。[6]

胯打中节并相连，阴阳相合得之难。

外胯好似鱼打挺，里胯藏步变势难。[7]

膝打几处人不明，猛虎好似出木笼。

和身展转不停势，左右明拨任意行。[8]

脚打採意不落空，消息全凭后足蹬。

与人较勇无虚备，进退好似卷地风。[9]

臀尾起落不见形，猛虎坐卧藏洞中。

臀尾全凭精灵炁，起落二字自分明。[10]

注释

① 拳经曰：这一段歌诀是对形意拳七拳加臀共十四处打法的详细讲解、阐释。

按：此题目，《李谱》中为“拳经歌曰”。

② 头打落意……亦难防：头拳打的是落意，即“点头”意。头打要随进步发出，在起而未起时就先占据中央位置，然后脚踏对方中门，抢夺他的站位，这样的话，就算对方是很高明的对手也难以防范和招架。

按：“神仙”，《李谱》中为“神手”。

③ 肩打一阴……一命亡：肩拳打的是盖他意，正打用阴面，反打用阳面。两手藏在自身头面胸腹部位，突出肩部。打时，用“舒、展”二字诀，将身充

分展开，可取对方性命。

按：《李谱》“盖他意”为“盖势取”，“舒展”为“束长”。

④ 肘打去意……肋下藏：肘拳打的是去意。中门肘的目标是对方的胸膛，起手发肘时要像虎扑羊，整体扑上去。有时对方中线打来，我则屈前臂将其往里拨偏，同时，我走边门，从对方侧前发肘打击，此时我的后手藏在前肘的后下，护住我的肋部。

⑤ 存：原文“存”据本书“勘误表”提示，当作“退”字。

⑥ 拳打三节……莫在一气后：拳打时，肘、肩在后紧跟备用，拳、肘、肩三节的相递循环变化，要让对方虽有眼而看不见。如让对方看见、看清了，就不算我能。我的能耐表现在要大胆地进攻对方，而不是要单纯地保全自己；要在对方进攻的一气之先抢攻对手，而不是在对方进攻的一气之后消极防守。

⑦ 胯打中节……变势难：胯打时，我的中节部位要连贯、协调，我身整体要阴阳相合，突出部分和缩回部分、正的部分和斜的部分要取得平衡，同时，我方之势要与对方之势互相吻合。因为胯打是贴身打法，需要复杂而自然的协调配合，所以得来不易。用胯的外侧打人时，就像鲤鱼打挺；胯的里侧的运用，主要在于我方前腿从对方前腿外侧抢步而上时，协助身、腿封死对方，使之难于变势。

按：“藏步”，它本写为“抢步”。

⑧ 膝打几处……任意行：膝打能够攻击对方的若干个不易防备的地方。膝打时，膝盖的提打就好像老虎冲出木笼一样不可阻拦。用膝时，身要随膝展转，不可呆滞不动。在上面，我的两手要将对方的身手领带到我的左侧或右侧，为下面的膝打创造有利的形势，同时把对方的注意引到上部。猛虎好似，应该是“好似猛虎”。

⑨ 脚打採意……好似卷地风：脚打的是踩意，前脚不能空迈空落，前脚的进踩，全凭后脚的蹬地推进来产生效果。与人交手时，在脚的用法上不必刻意

设计和准备，只要把握住“去意好似卷地风”这个原则就可以了。

按：採，各家拳谱有“採”，有“踩”，当以“踩”字为是。进退，应当为“去意”。

⑩ 臀尾起落……自分明：臀尾的打法，是对方在我背后相离极近时使用的一种难以被人发现的打法，有起撅和落生两种方法。臀尾打人时，就像猛虎从洞中受惊倒着出来，其臀部有很大的撞击力。臀尾的打法不同于手脚的打法，手脚用局部的稍劲也可以打人，臀尾则必须在自己功深，练就了精灵之炁后，才能从臀部发出猝然的抖劲打人。

按：“猛虎坐卧”，有的谱为“猛虎坐窝”。

拳经云：

混元一气吾道成，道成莫外五真形。
真形内藏真精神，神藏气内丹道成。
如问真形须求真，要知真形合真象。
真象合来有真诀，真诀合道得彻灵。
固灵根[1]而动心敌将也，养灵根而静心修道也。
武艺虽真窍不真，费尽心机枉劳神。
祖师留下真妙诀，知者传授要择人。

注 释

① 灵根：薛颠先生在《五禽经》中说：“灵根者，真命也，即先天虚无之一炁也。浑浑沦沦，恍恍惚惚，杳杳冥冥。其中有物，其中有精。至无而含至有，至虚而含至实，能生天地万物，故又谓之‘祖炁’。”释曰“圆觉”，道曰

"金丹"，儒谓"太极"，名虽殊，无非形容灵根之气也。混沌初开，天开于子，地辟于丑，人生于寅，以明天、地、人三才。因此而定位三才，即自一炁而生。虚圆不测，寂然不动，感而遂通。非色非空，具象理而应万象（即包罗万象）。《道经》云："天得一以清，地得一以宁，人得一以灵。"照此，则"灵"指人的灵性，"灵根"指人的灵慧之根，即"先天祖炁"。

第二章[①]

第一节　初学入门规矩

练习拳术，不可自专自用而固执不通。若专求力，则凝滞不灵；专求重，则沉重不活；专求气，则拘泥不通；专求轻浮，则神意涣散。要而言之：身外形顺者，无形中自增气力；身内中和者，无形中自生灵炁。如练至功行圆满之时，凝神于丹田[②]，则身重如山；化神成虚空，则身轻如羽。所以练习不可固执一端也。果得其妙道，亦是若有若无，若实若虚，勿忘勿助[③]之意。不勉而中，不思而得，从容中道。[④]无形中而生，诚神奇矣！

注 释

① 这一章内容除“灵通三性”来自别谱外，都来自《李谱》，不是本书作者原创，特此说明。

② 丹田：此指下丹田，人体穴位名，约在脐下三寸。也是人体重心所在。

③ 勿忘勿助：既不要忘了，也不要助长。《孟子·公孙丑上》：“必有事焉而勿正，心勿忘，勿助长也。”

④ 不勉而中……从容中道：出自《中庸》：“诚者，天之道也；诚之者，人之道也。诚者，不勉而中，不思而得，从容中道，圣人也。诚之者，择善而固执之者也。”

第二节　练习三害

初学练习武术，谨当切忌三害。三害不明，练之足以伤身。明之，自能得道。三害者何？一、拙力；二、努气；三、挺胸提腹是也。如练出拙力，则四肢、百骸，血脉不能流通，筋络不能舒畅，全身发拘，手足不能活泼，身为拙气所滞。滞于何处，何处成病。练时努力[①]，则太刚易折，胸内气满，肺为气所排挤，易生满闷肺炸诸症。若挺胸提腹，则气逆上行，终不归于丹田，两足似萍草无根。譬如心君不和，百官[②]必失其位。拳法亦然。若不得中和，即万法亦不能至中立地步。故练习之时，谨忌三害。用以力活气顺，虚心实腹，而道心生。练之设如此，久而久之，自然练至化境矣。

注 释

① 努力：应为“努气”，对应“三害”的第二条。

② 百官：各种器官。

第三节 呼吸合道

夫人以气为本，以心为根，以息为元，以肾为蒂。天地相去八万四千里，人之心肾相去八寸四分。一呼，百脉皆开；一吸，百脉皆合。

天地化工流行，亦不出乎呼、吸二字。且呼吸之法，分有三节道理。初节之道理，乃是色身①上事，即练拳术之准绳。呼吸任其自然，有形于外，谓之调息，亦谓炼精化炁之功夫。二节之道理，谓之法身②上事。呼吸有形于内，注意丹田，谓之息调，亦谓炼炁化神之功夫。三节之道理，乃是心肾相交之内呼吸。无形无像，绵绵若存，似有非有，无声无臭③，谓之胎息，亦即是炼神还虚之功夫。

呼吸有三节道理，拳术有三步功夫，谓之明劲、暗劲、化劲是也。明劲者，拳内之法，伸缩开合之势，有形于外。暗劲者，动转神速，动则变，变则化，变化神奇，有形于内。化劲者，无形无像之手法，不见而章、不动而变④之神化也。此三步之功夫，是练拳术根本实际之道理，亦谓之练术合道⑤之真诀。知此道理，可以谓之性命双修⑥也。

注释

① 色身：佛家用语，指人的肉身，即物质的身体。

② 法身：佛家用语，指佛的真身，也称为佛身。

③ 臭：音 xiù，气味。

④ 不见而章、不动而变：《中庸》：“如此者，不见而章，不动而变，无为

而成。”章，通“彰”，彰明、明显、显著。

⑤ 练术合道：拳功与道功相结合。

⑥ 性命双修：练拳功就是“修命”，练道功就是“修性”，二者结合就是“性命双修”。

第四节　三步功夫

易骨[①]者，明劲也。练习时，身体动转，必须顺遂[②]而不可悖逆[③]；手足起发必须整齐，而不可散乱。为之[④]筑基壮体，充足骨髓，坚如金石。而气质、形容[⑤]如山岳之状。此谓之初步功夫。

易筋[⑥]者，暗劲也。练时，神气圆满，形式绵绵，舒展运用，活泼不滞。为之长筋腾膜[⑦]，全身筋络伸展，纵横联络而生无穷之力。此谓之二步功夫。

洗髓[⑧]者，化劲也。练时，周身动转，起落、进退、伸缩、开合，不可用力，将神意蛰藏于祖窍[⑨]之内，身体圆活无滞，形如流水。其心空空洞洞，而养灵根[⑩]。此谓之三步功夫。

注 释

① 易骨：改进骨质，使之坚实。易，改变。

② 顺遂：互相协调。

③ 悖逆：互相矛盾。

④ 为之：练之，这样练习。

⑤ 形容：身形容貌。

⑥ 易筋：改进筋的质量。这里的“筋”，包括韧带、肌腱、筋膜等。

⑦ 长筋腾膜：使韧带、肌腱弹性增大、韧性更强，使筋膜腾起。长，音cháng，加长。

⑧ 洗髓：清洁人的思想意识，全面改进人的神经系统。

⑨ 祖窍：应指“丹田”。

⑩ 灵根：人的灵慧之根，即“先天虚无一炁”，也即“祖炁”。人为万物之灵，道经说：“天得一以清，地得一以宁，人得一以灵。”

按：这一节“三步功夫”，相当于一部“形意拳的生理学”。

第五节　灵通三性

夫三性者，以心为勇性，眼为见性，耳为灵性。此三性者，艺①中应用之根本也。然调养之法，眼应不时常寻还②，耳应不时常照应③，心应不时常警醒④，使之精灵三性，形影相随。用之三性灵通，运贯如一，蕴发在我⑤，庶不至为人所卖，而无见机之哲也。⑥

注释

① 艺：武艺。

② 眼应不时常寻还：双眼应当不时常循环轮转，观察周围的异常情况。还，古同“环”，环绕。寻还，即“循环”。

③ 耳应不时常照应：两耳应当随时侦听周围，尤其是侧后的异常响动。

④ 心应不时常警醒：心要不时常处于警醒状态，保持警惕。

⑤ 蕴发在我：蕴蓄和发作的主动权掌握在我的手中。

⑥ 庶不至为人所卖，而无见机之哲也：（这样）才差不多不至于被人所赚，

而丧失见机之明。庶，庶几，差不多。见机，见机而作，不失去有利的机会。哲，聪明，明智。

第六节　六合[1]为一

心与意合，意与气合，气与力合，[2]内三合也。手与足合，肘与膝合，胯与肩合，外三合也。内外如一，谓之六合。左手与右足相合，左肘与右膝相合，左膝与右肩相合；右之与左亦然也。以及头与手合，手与身合，身与步合；心与眼合，肝与筋合，脾与肉合，肺与皮合，肾与骨合。总而言之，一动无不动，一合无不合，五行百骸[3]，悉[4]在其中矣。

注 释

① 六合：形意拳最根本的要求和目标，做到六合，就能形成整劲。合，凑合，应合，合成。

② 心与意合……气与力合：以心生意，以意使气，以气催力。

③ 五行百骸：五脏及全身各个骨节。百骸，百骨节。骸，音 hái，骨。

④ 悉：尽。

第三章

第一节　三节合一

三节者，根、中、稍也。以人言之：头为稍节，身为中节，腿为根节。以头言之：天庭[①]为稍节，鼻为中节，地阁[②]为根节。以中身言之：胸为稍节，腹为中节，丹田为根节。以下部言之：足为稍节，膝为中节，胯为根节。以肱[③]言之：手为稍节，肘为中节，肩为根节。以手言之：指为稍节，掌为中节，腕为根节。换而言之，人之一身，无处不各有三节也。三节之动，不外起、随、催三字而已。盖稍节起，中节随之，根节催之，无有长短、曲直、参差、俯仰之病。三节之所以贵明，故分而有三，合而为一也。

注 释

① 天庭：两眉之间，前额的中央。

② 地阁：下颌。

③ 肱：音 gōng，手臂。

第二节　三稍[1]

三心归一

盖人之一身有四稍，曰血稍、筋稍、骨稍、肉稍是也。此四稍者一动，而能变化常态。发为血稍，属心。心怒气生，气冲血动，血轮发转，精神勇敢。毛发虽微，怒能冲冠，气足血旺，力能撼山。爪为筋稍，属肝。手足指功，手抓足蹬，气力兼并，爪生奇功。齿为骨稍，属肾。化精填骨，骨实齿坚。保齿之道，最忌热凉。冷冬炎夏，唇包齿藏。年迈耆老，上下成行。[2]舌为肉稍，属脾。脾醒舌灵，胃健肉长，坤田[3]气壮，肌肉成镼，充实腑脏，刚柔攸扬。三心者，手心、足心及心是也。用之手心要扣，足心要玄[4]，人心要灵。明乎四稍增神力，明乎三心生灵炁。四稍三心要合全，精神勇敢力推山。气动心意随时用，硬打硬进无遮拦。遇敌要取胜，成功须放胆。四稍三心归一体，运用灵活一混元。[5]

注 释

① 稍：末端。音 shāo，本义为禾末，此处指人体的发、舌、齿、指等部位。原“三稍”，据“勘误表”当作“四稍”。

② 年迈耆老，上下成行：善于保养和修炼的老年人，上、下两行牙齿还很齐全、完整。耆老，老年人。耆，音 qí，老。

③ 坤田：丹田。

④ 玄：即“悬”，脚心要悬空。

⑥ 四稍三心归一体，运用灵活一混元：惊起四稍与三心相并归于一体，总归是混元一气的灵活运用。

按：“四稍三心归一”应同时做到；舌顶，齿叩，浑身毛孔收紧，手指扣劲，手心回缩，脚趾抓地，脚心悬空，本心要虚灵警惕。

第三节　身法八要[①]

身法者何？纵、横、高、低、进、退、返、侧八要而已。纵则放其势，一往而不返。横则裹其力，开括而莫阻。[②]高则扬其身，而身若有增长之意。低则抑其身，而身若有攒捉之形。[③]当进则进，鼓其气，弹其身，而勇往直冲，如蛰龙之升天抖搜意也。当退则退，领其气而回转，若猿猴之灵通巧也。至于翻身顾后，后即前；侧身顾左右，左右无分上下。[④]察乎人之虚实，运吾之机谋。[⑤]忽纵而忽横，纵横因势而变迁；忽高而忽低，高低随时以转移。时宜进，故不可退而馁其气；时宜退，当以退而鼓其进，此进故谓之真进。[⑥]若返身顾后，而后亦不觉为后；侧身顾左右，而左右亦不觉为左右。总而言之，其要者，则本诸身进而前，四体百骸不令而行。[⑦]应用在眼，变通在心，勇往在气，[⑧]此八要之所以贵明。学者知此道理，可以入道矣。

注释

① 身法八要：指八种主要身法：纵放，横裹，高扬（即“起”），低抑（即“落”），前进、后退、返身、侧身。

② 横则裹其力，开括而莫阻：横击时，先将力裹住，再开拓击敌，使敌不

能阻挡。

③ 低则抑其身，而身若有攒捉之形：落低的身法，要压住身体，使全身凑聚，似有捕捉之形。抑，遏止，压制。攒，音cuán，聚集，集中。捉，捕捉。

④ 侧身顾左右，左右无分上下：侧身顾左右，则左右没有上下之分。

按：另一谱为“侧顾左右，左右岂敢当哉?”

⑤ 察乎人之虚实，运吾之机谋：原文“运”字之后脱一“乎”字，当作“运乎吾之机谋”。根据对方的虚实，运使我方的机谋。

⑥ 时宜进……故谓之真进：当时机适宜前进的时候，固然不能后退从而自馁其气；当时机适合后退的时候，就应当暂时退却来促成下一次的前进，这样前进因而称为“真正的前进”。

按：本句第一个“故”是副词，通“固”，本来；第二个“故”是连词，所以，因此，因而。

⑦ 其要者……不令而行：最重要的，是要把握住这样的根本原则：身一前进，则全体不令而行。本诸，本之于，以……为根本。前，向前进。四体，四肢。百骸，全身所有骨节。

按：《岳武穆九要论》：“总之机关在眼，变通在心，而握其要者，则本诸身。身而进，则四体不令而行矣；身而却，则百骸莫不冥然而退矣。身法顾可置而不论哉?”

⑧ 应用在眼……勇往在气：拳法的应用在于眼睛的观察，拳法的变通在于心的思考和决策，而身的勇往直前则在于自身士气的壮盛。

第四节　步法手法五恶[①]

步法者，寸步、垫步、[②]翦步、快步是也。一尺远近则用寸步，三五尺远则用垫步，六七尺远则用翦步，丈八尺远[3]则用快步。步法中为快步最难，是起前足，则后足平飞而去，如马之奔，虎形之蹿。步法者，足法也。[4]足之要义，是起翻、落蹟。[5]起者，如手上翻之撩阴。落蹟，似大石之沉水。夫足之进忌蹋，进则用採。採者，如鹰之捉物也。[6]

手法者，单手、双手是也。单手起，往上长身而蹟[7]，下落缩身而翻[8]，形如鹞子穿林，束身[9]起，展翅[10]飞也；双手上起，两肱似直非直，似曲非曲，形如举鼎。手落似猛虎搜山。[11]然其要者有五恶：抓、扑、裹、舒、抖也。拳经云：抓为毒，扑如虎，形似猫捕鼠。裹为护，身不露。抖要绝，力展舒，心毒手如弩。[12]总而言之，手不离足，足不离手，手足亦不能离身。分而言之，则万法；合而言之，则仍归一气。三回九转是一势，正此之谓也。上法以手足为妙，进步以手足为奇。以身为纲领。其应用，进身而发势。三节要明，四稍相齐；内五行[13]要和，外五行[14]相随。远近因时而用，心一动而即至。其理流行于外，发著于六合[15]之远。承上接下[16]，势如连珠箭，何虑他有邪术？知此道理，神奇技矣。

注 释

① 步法手法五恶：本节讲四种步法，即寸步、垫步、翦步（翦同剪）、快步；两种手法，即单手、双手；五种诀法，即抓、扑、裹、舒、抖。

② 寸步、垫步：半步崩拳的步法就是“寸步”，劈拳、钻拳的步法就是“垫步”。“寸”为“短”之意。“垫”为“铺垫”之意，一脚先垫进，另一脚再进到垫脚之前为“垫步”。

③ 丈八尺远：即八九尺、一丈远近。

按：不可理解成“一丈零八尺远”。

④ 步法者，足法也：步法同时也是脚法。

⑤ 足之要义，是起翻、落蹟：脚法的要领，是起时脚往上翻，即前脚掌掀起，落地时脚往下蹟，要有踩意。

⑥ 採者，如鹰之捉物也：“採”就像鹰捕捉猎物。

按：鹰捕猎时，用爪採住，再用翅膀扇打、用喙啄。

⑦ 往上长身而蹟：往上起打时，将身引长，向前上钻起。长，音 cháng，引长。蹟，即往前往上冲顶。

按：“长身而蹟”，是将对方拱起的要诀。李亦畬《太极拳撒放密诀》第一诀：“擎：擎起彼身借彼力。”可以参证。

⑧ 下落缩身而翻：（再接着）往下落打时，身要弯坐而缩，同时将上钻之劲势翻回，向前下劈打对方。翻，翻回，返回。从向前上钻到向前下劈为“翻打”“返打”。

按：李亦畬《太极拳撒放密诀》第四诀：“放：放时腰脚认端的。”可以参证。

⑨ 束身：鷂翅膀贴身为“束身”。形意拳起打时，手臂贴身，拳从口出即为“束身”。

⑩ 展翅：鷂翅膀向两侧展平为“展翅”。形意拳落打时，将身手尽量前后展开为“展翅”。

⑪ 双手上起……似猛虎搜山：双手起落与单手起落，原则、要领相同，并无二致。

⑫ 抓为毒……心毒手如弩：抓要像鹰抓猎物一样狠毒，扑要像老虎扑食，抓与扑，其形又像猫捕捉老鼠。裹，是手臂裹护，使身不暴露。舒，是击发时，我之手、身、步所蓄之势要充分舒展开，施加作用于对方，而不可将力拘于自

己身上。抖要果断，要有使物断成两截的破坏力。体现“舒，绝”二字时，要内心狠毒，手如弩箭射出，出狠劲，“恨”劲。绝，断。

⑬ 内五行：内部五脏。

⑭ 外五行：外部五行拳及各种拳法。

⑮ 六合：天地四方为六合。

⑯ 承上接下：每出一势，上承前一势，下接后一势，一势接一势，势势相连，直到将对方击败。

第五节　战手要法

二人初次见面未交手前，要凝神衣[①]气，审视敌人五行之虚实精神体格，注意敌人之动静，站近敌人之身旁，成三角斜形式[②]。占左进右，上右进左，进步进身[③]，灵活要快，形似蛟龙翻浪。发拳要卷紧，拳紧增气力。发掌要扣手心，掌扣气力加。三尖四稍[④]要相齐，心要虚空而狠毒，不毒无名[⑤]。俗云：人无伤虎心，虎生食人意。气要上下三田[⑥]联络往返，精气能[⑦]贯溉四肢。以心为主宰，以眼为统帅，以手足为先锋。不贪，不歉，不即，不离。胆要大，心要细，面要善，心要恶。静似书生，动如雷鸣。审察来人之形势，彼刚我柔，彼柔我刚，刚柔要相济。进步发拳，先占中门。肘不离肋，手莫离心。束身而起，长身而落。随高就高，随低打低。远发足手，近加膝肘。上打咽喉下撩阴，左右两肋在中心。发手莫有形，身动勿有势。[⑧]操演时，面前似有人。交手时，面前似无人。拳经云：打法先上身，手足齐至方为真。[⑨]身似游龙，拳打烈炮，遇敌好似火烧身。[⑩]起无形，落无踪，[11]手似毒箭，身如返弓，[12]消息全凭后足蹬。进退旋转灵活妙，五行一动如雷声。风吹浮云散，雨打沉灰[13]净，五行合一体，放胆即成功。

注 释

① 衣："衣"据原稿"勘误表"当作"聚"。

② 三角斜形式：应当就是指半侧身对敌，即"阴阳身"。

③ 进步进身：原谱为"进步退身"。即"进步退步，进身退身"。

④ 三尖四稍：原谱为"三节四稍"。

⑤ 不毒无名：不毒则无功。无名，无功。

⑥ 上下三田：即上中下三丹田。

⑦ 能：原谱为"方能"。

⑧ 发手莫有形，身动勿有势：发手动身，不要有预动，不要露形。

⑨ 打法先上身，手足齐至方为真：打法要身、手、足齐到，这样才是形意拳的真传。

按：此二句原谱为"打法定要先上身，足手齐到方为真"。

⑩ 身似游龙……好似火烧身：身动似蛟龙拧翻，拳打如烈炮出膛，与敌接手好像自身落上火星一样发出惊抖力。

⑪ 起无形，落无踪：起打落打均不见形踪。

⑫ 手似毒箭，身如返弓：身是弓，手是箭，以身发手。

⑬ 沉灰：原谱为尘灰。

第六节　形意摘要[1]

一、要塌腰，二、要垂肩，三、要扣胸，四、要顶，五、要提，

六、横、顺要知清，七、起钻[2]、落翻要分明。塌腰[3]者，尾闾上提[4]，而阳气上升，督脉之理，而又谓之开督。顶者，头顶、舌顶、手顶是也。头顶而气冲冠，舌顶而吼狮吞象，手顶而力推山。提者，谷道内提也。古仙云：紧撮谷道内中提，明月辉辉顶上飞，而又谓之醍醐灌顶[5]。欲得不老，还精补脑。垂肩者，肩垂则气贯肘，肘垂则气贯手，气垂则气降丹田。扣胸者，开胸顺气，而通任脉之良箴。[6]能将精气上通泥丸，中通心肾，下通气海，而至于涌泉。横者，起也；顺者，落也。起者，蹿也；落者，翻也。起为蹿，落为翻。[7]起为横之始，蹿为横之终；落为顺之始，翻为顺之终。头顶而蹿，头缩而翻。手起而蹿，手落而翻。足起而蹿，足落而翻。腰起而蹿，腰落而翻。起横不见横，落顺不见顺。起是去，落是打，[8]起亦打，落亦打，[9]起落如水之翻浪[10]，方是真起落也[11]。勿论如何起蹿落翻，往来总要肘不离肋，手不离心。[12]手起如钢锉，手落如钩竿。起者，进也；落者，退也。未起如摘字，未落如堕字。[13]起如箭，落如风，追风赶月不放松。起如风，落如箭，打倒还嫌慢。[14]

注 释

① 本文包括形意拳七项要领、三步功法的用法特点及虚实奇正的相对性与灵活性。

② 钻：原文为繁体“鑚”。在形意拳老谱中，“鑚”“蹿”时常混用。后同，不另注。

③ 塌腰：腰要塌坐，略向后弯，起时略向上引，落时又坐。

④ 尾闾上提：臀部往前包住，尾闾部位向前上兜提。不可撅臀。

⑤ 醍醐灌顶：将醍醐浇到头上。醍醐，酥酪上凝聚的油，极甘美，是酥酪的精华。这里指炼精化气，上运于脑，在口中产生甘露，与下文的“还精补脑”同义。

⑥ 扣胸者……任脉之良箴：扣胸是心口窝部位微含，其反面是挺胸。扣胸是胸部虚含，结合扣肩、塌腰则形成以腹式呼吸为主的呼吸方法，于是虚胸实腹，打通任脉。良箴，有益的规劝，这里指良法、良策。箴，音 zhēn，劝告，规诫。

⑦ 横者……落为翻：横说的是起，顺说的是落。起要钻身，落要翻打。起就是蹿，落就是翻。

按：形意拳除极少数拳法（如崩拳）外，均分为起势、落势。起势就是启动，启动就是接手，接手就是横拳，横拳是形意拳中的“太极”，在五行中属于土，土生万物（见后文“太极论”），拳谱中还说到：“起手横拳势难招。”所以说“横者，起也。”注意：横，不是“横拨”或者“横格”。形意拳的横拳有横劲而无横形，它是由“占中”“螺旋”“斜面”等要素构成的，所以下文又说“起横不见横”。落势，就是打人，打人要用自身整体的“竖劲”去打对方整体结构上的“横劲”，“顺”就是“竖”，所以说“顺者，落也”。姬龙峰夫子说：“习武手足膀子脚步不宜横斜，横斜日后难以改正。何也？根基正易于精通。此条言拳势贵顺。”起势时，不只是敌我双方两手相交接，而且是我方要同时上步，身往前往上钻（即“蹿”），与对方充分吻合，并将对方拱起拔根，所以说“起者，蹿也”“起为蹿”。又，在技击中，起势担负了打败敌人的前一半的任务，所以下文又说“起亦打”。落要翻打，翻是“翻过来”“返回”的意思。我方身手落起时正向拧转，则落时必为反向拧转；起时为提冲，则落时必为冲劈，起时为钻进，落时必为钩回。总之，“落势”相对于“起势”来说，都有“翻过来”“返回来”的关系。所以说“落者，翻也”“落为翻”。

⑧ 起是去，落是打：起势是贴近对方，落势是打击对方。

⑨ 起亦打，落亦打：起则拱起对方，使其拔根背势。落则将敌打翻。

⑩ 起落如水之翻浪：一个起势加一落势，必伴随自己重心的弧线起落，其内意外形就像水受激而形成的排浪。

按：起落在练习时为自身重心的弧形起落，在实战时则为敌我二人共起落，我是主宰，暗借敌力。起落是形意拳大巧若拙的典型方法。

⑪ 方是真起落也：（做到以上五点，即起是去，落是打；起亦打，落亦打，起落如水之翻浪）才是真正的起落。方，才。

⑫ 肘不离肋，手不离心：肘夹肋，手对心（即手不离中线）。

⑬ 手起如钢锉……未落如堕字：起势时手臂如钢锉一样，臂则拧挫，拳则钻顶；落势时手臂如前面带钩的竹竿，手如钩，臂如竿，具有摘取、採拿之能。对于这种起落来说，起势就是身手步进伸，落势就是身手步后退。这种起落的心法是，未起之时先存摘物之意，将落之前先寓坠物之意。

按：这几句是论述又一种典型的起落练用法。拳谱还说过，“心比悬胆镜，手似如意钩”“势势不离虎扑，把把不离鹰抓”。形意拳出手，来回都是打人，可将效率提高一倍。

⑭ 起如箭……打倒还嫌慢：起势落势要干净利索，其快如箭射、风刮。要追风赶月，一气呵成，不使对方滑脱和逃走，更不许其有还手的机会。

按：“起如箭，落如风，起如风，落如箭”，这是一种修辞方法，意思就是起落如箭又如风。如箭如风，这里主要是“快”的意思。《孙子·军争第七》：“故其疾如风，其徐如林，侵略如火。”《吕氏春秋·贵卒》：“力贵突，智贵卒。得之同则速为上，胜之同则迟为下。所为贵骥者，为其一日千里也。所为贵镞矢者，为其应声而至。”

足打七分手打三①，五营四稍要合全②。气随心意③随时用，硬打硬进④无遮拦。打人如走路⑤，看人如蒿草⑥。胆上如风响，起落似箭蹭。进步不胜，必有怯敌之心。[7]此是初步明劲，有形有象之用也。

至暗劲之时，用法更妙。起似蛰龙升天，落如劈雷击地。起无形，落无踪，起意好似卷地风。[8]起不起，何用再起？落不落，何用再落？[9]低之中望为高，高之中望为低。[10]打起打落，如水之翻浪。[11]不翻不蹭，一寸为先。[12]足打七分手打三，五营四稍要合全。气浮心意随时用，打破身势无遮拦。[13]此是两步暗劲，有无穷之妙用也。

注 释

① 足打七分手打三：足打七分，手打三分，指一个完整的技击动作产生效果，后足蹬，前足进的作用占七成，手的作用占三成。

② 五营四稍要合全：即内外六合，一合无不合。

③ 气随心意：即心与意合，意与气合。

④ 硬打硬进：即气与力合。

⑤ 打人如走路：打人必进步，进步如走路。

⑥ 看人如蒿草：战略上藐视对手，这样解放自己的身心，导出透彻的劲力。

⑦ 胆上如风响……必有怯敌之心：这是从正反两面说明“胆”的作用，放胆必成功，胆怯必不胜。

⑧ 起似蛰龙……好似卷地风：这是说到二步暗劲功夫之时，在用法上，内部的意气更加远大盛足，而外形动作更加紧凑、节约、纯净、高效。“起似蛰龙升天，落如劈雷击地”“起意好似卷地风”，这是说内在的意气更加远大、盛足。蛰龙，蛰伏的龙。“起无形，落无踪”，起势落势已无明显的踪迹可寻、形象可见。

按：意气盛足是主动追求的结果，形势简约是自然达到的结果。

⑨ 起不起……何用再落：起势也不刻意地“起”了，落势也不刻意地

"落"了，何必再从外形上去表现出明显的起落呢？

按：由此可知，一步功夫的"起落似箭蹿"，从二步功夫的眼光看来，还有杂质，还有浪费。另外，从上文可以知道，二步功夫时，形体的起落精简了，但是意气的起落加强了。

⑩ 低之中望为高，高之中望为低：人从低望我，则觉我高不可及；人从高望我，则觉我深不可测。

按：这是指二步暗劲功夫的懂劲艺术，王宗岳《太极拳论》中所说的"仰之则弥高，俯之则弥深"，就是说，敌仰攻我，则如攀高山，可望不可及；敌俯攻我，则如临深渊，顿失重心。

⑪ 打起打落，如水之翻浪：这种功夫在二步功夫时才达到成熟，则一步明劲功夫时的"起落似箭蹿"还有棱角，不够圆滑。

⑫ 不翻不蹿，一寸为先：在二步暗劲功夫时，"寸劲"稳定形成，即使双方相离极近，也能心一惊，丹田一紧，鼻一擤气，调出整劲将敌击败。姬龙峰夫子说："宁教他远进一丈，莫教他近进一寸。远进一丈不为急，两人交手一寸为先。欲知胜负所由分，近在眼前一寸中。"这是说，这种极短距离的整体抖劲形成后，具有决定胜负的威力，双方对此丝毫不敢大意。在这一功夫阶段，拳师随时随地能够做到孙子所说的"其势险，其节短。势如弓广弩，节如发机"。

⑬ 气浮心意随时用，打破身势无遮拦：这是说，在二步功夫时，内部心与意合、意与气合不变，但在外形上，已不必刻意去"合"。此时，已能做到脱规矩而合规矩，时脱时合、脱而仍合，具备了随机应变、因敌制胜的高级功夫。

拳无拳，意无意，无意之中是真意。[①]拳打三节不见形，如见形影不为能。随时而发，一言、一默，一举、一动，行、止、坐、卧，以至于饮食、茶水之间，皆是能用。或有人处，或无人处，无处不是用。[2]所以无入而不自得，无往而不得其道，[3]以致寂然不动，感而遂通，无可无不可。[4]此是三步化劲[5]，神化之功用也。

然而所用三步之功夫，虚实奇正，亦不可专有意用于奇正虚实。[6]虚者，并非专用于彼。己手在彼手之上，用劲拉回，落如钩竿，谓之实。[7]彼手已不着我之手，我用劲将彼之“手”拉回，谓之虚[8]。并非专用意于虚实[9]，是在人之形势感触耳。奇正之理亦然。奇无不正，正无不奇，奇中有正，正中有奇。[10]奇正之变化，如循环之无端，所用无穷也。[11]拳经云：“拳去不空回，空回非奇拳。”[12]正谓之此意也。学者深思格务此理，而要义得矣。

注释

① 拳无拳……是真意：到第三步化劲功夫之时，我身所做出的拳势，已无所谓何拳；我心所生发的拳意，已无所谓何意。我之身心已完全突破了此前所习的一切既定程式和方法，妙招随势而生，妙意随时而至。自由创作，任意发挥。既是身无一法，心无一意，又是千法百法，千意百意，省心、省力，节能、高效，“从心所欲不逾矩，”从拳术的必然王国而到达了自由王国。这种无意之中产生的拳意，就是拳术的“真意”。

② 随时而发……无处不是用：这是说，在生活和工作中，随时随地都能发出恰当的反应，以退敌和避险。前人这种事例很多。李政先生在饮茶之时、李洛能先生在行步之时、车毅斋先生在洗脸之时、李桂昌先生在抽烟之时，王文彬先生在锄地之时，都曾有过挫败别人偷袭的战例。还有董海川先生在闭目静坐之时避开墙塌之险等等，都是这一段文字的良好注解。

③ 无入而不自得，无往而不得其道：我的心身无时无处不是处于舒适自得的状态，无时无处不符合道，即便遇到外来的干扰和破坏也是如此。

④ 以致寂然不动……无可无不可：以至于达到心不妄思，身不妄动，凭借感应，自然应对而恰到好处。各种拳法和拳意的使用，既可以这样，也可以那样，没什么可以，也没什么不可以。致，达到。通，应敌无碍为通。“寂然不动，感而遂通”出自《易传·系辞》：“易无思也，无为也，寂然不动，感而遂通天下之故。”北宋周敦颐《通书·圣》第四：“寂然不动者，诚也；感而遂通者，神也。”无可无不可，《论语·微子》第十八：“我则异于是，无可无不可。”

⑤ 化劲：即达到“化境”之劲。这是指拳术功夫达到极其熟化的程度时，拳术好像成为我的本能，好像我本来天然就会拳。拳就是我，我就是拳。拳意就是我意，我意就是拳意。拳就是生活，生活就是拳。想错而不能，不想对而都对。拳化成了我，我化成了拳，我就是拳的化身。

⑥ 然而所用……奇正虚实：这是说，三步功夫的用法，在我方的虚实奇正与对方的虚实奇正之间，不要执着于固定的搭配。虚，即虚处，防守空虚之处。实，实处，防守严密之处。这是对于对方来说。对于我方来说，“虚”指我方发出的虚招，“实”指我方发出的实招。奇正，奇兵与正兵，正面迎接对手的拳法为正兵，迂回袭击对手的拳法为奇兵。

⑦ 己手已在彼手之上……谓之实：自己的手在他的手上面，採住他的手用劲拉回，就像用钩竿钩落果子一般，这叫作“实抓”。彼，他，指对方。

⑧ 彼手已不着……谓之虚：自己的手在对方的手下面，我也用劲将他的“手”拉回，这叫作“虚抓”。原文“已”应作“挨”，据原文“勘误表”改。

按：孙禄堂《拳意述真》中这一句话为：“己手在彼手之下，亦用劲拉回，彼之手挨不着我的手，谓之虚。”

⑨ 并非专用意于虚实：并不是专门刻意去用虚招或实招。

⑩ 奇无不正……正中有奇：奇招无不可变为正招，正招无不可变为奇招，奇招之中含有变为正招的可能性，正招之中含有变为奇招的可能性。

⑪ 奇正之变化……所用无穷也：奇变正，正变奇，就像物体沿着圆环运

动，没有端点，走不到尽头。

按：《孙子兵法·兵势》第五：“凡战者，以正合，以奇胜。”“战势不过奇正，奇正之变，不可胜穷也。奇正相生，如循环之无端，孰能穷之?”循，沿着，顺着。环，圆环。

⑫ 拳去不空回，空回非奇拳：我方出拳击敌绝不会无功而返，否则就配不上“奇拳”的称号了。

按：掌握了虚实奇正之理法，就能有效地调动对方，随时造成对方的误判而出现防守上的空虚之处，而我方则可立即出奇制胜。

形意拳术[①]

第一章　总纲

第一节　无极论[②]

无极者，空空静静，虚若无一物也[③]。圣人自阴阳以统天地[④]，夫有形者生于无形。无形则天地安足生？故曰，有太易、太初、太始、太素而太极之“五太”也。[⑤]胎包炁、质、形之本也，一惊而生炁、质、形也。[⑥]气之轻清而上浮者为天，气之重浊而下凝者为地。然太易者，未见气也。太初者，气之始也。太素者，质之始也。太始者，炁、形之始也。炁、形、质具，而未相离，视之不见，听之不闻，寻之不得，故曰“易”也。[⑦]“易”无形状，易变为“一”，太极生也，由太极而化生万物也；如“易”仍无形，太极亦不生，炁、形、质浑沦而相离，虚无缥缈，复而谓之无极也。[⑧]

注释

① 形意拳术：原文标题为“上编形意拳术讲义”层次混乱，根据正文内

容，此处标题改为“形意拳术”。

② 无极论：这是《李谱》原文，是讲“无极”概念在中国古代的宇宙生成论中的位置和作用：无极→太易→太初→太始→太素→太极。

《列子·天瑞》：“昔者圣人因阴阳以统天地。夫有形者生于无形。无形，则天地安足生？故曰：有太易、有太初、有太始、有太素。太易者，未见气也；太初者，气之始也；太始者，形之始也；太素者，质之始也。气、形、质具而未相离，故曰‘浑沦’。浑沦者，言万物相浑沦而未相离也，视之不见，听之不闻，循之不得，故曰‘易’也。易无形埒，易变而为一，一变而为七，七变而为九。九变者，究也。乃复变而为一。一者，形变之始也。清轻者上为天，浊重者下为地，冲和气者为人。故天地含精，万物化生。”

③ 虚若无一物也：空虚得好像没有一件东西。请注意“若”字，是“虚若无一物”，而不是“虚无一物”。好像空无一物，实则其内部包含有天地万物的炁质，形的本源。

④ 圣人自阴阳以统天地：上古圣人用阴、阳两个概念来统括天、地这两件事物。

⑤ 夫有形者……“五太”也：有形的东西是从无形中产生的。既然无极是无形的，那么天与地怎么能够产生呢？所以说有太易到太极等“五太”这样一个演变过程。

⑥ 胎包……形也：在无极之中，包含着炁、质、形的本源，无极一经扰动，于是就产生了炁、质、形。

⑦ 炁、形、质……故曰“易”也：炁、形、质都已经具备，但互相没有分离开，看它看不见，听它听不到，抚摸它抚摸不到，所以叫作“易（太易）”。寻，通“循”，抚摸。

⑧“易”无形状……复而谓之无极也：“易”没有形状，如果易经过太初、太始、太素阶段而演变为“一”，这就是“太极”产生了，接下去再由太极变化

产生出万物；如果易仍然保持无形，太极也不产生，炁、形、质还是囫囵一体而不分离，依旧处在虚无缥渺的状态，则还是叫作“无极”。“浑沦而相离”，当为“浑沦而不相离”。

第二节　虚无无极含一炁[①]

虚无者，无形○之势也。无极者，◑，含一混沌不分[②]之炁也。此炁乃是先天真一之祖炁，氤氲无形，其中有一点生机含藏，名为先天之本，性命之源，生死之道，天地之始，万物之祖，阴阳之母，四象之根，八卦之蒂，即太极之发源而谓之无极[③]也。

注 释

① 虚无无极含一炁：这是《李谱》原文。

按：先哲认为，形意拳的生成与宇宙的生成具有“同构”性，所以他们借用中古代的宇宙生成来建立形意拳的拳术生成论，这体现了“天人合一”的观念。

② 混沌不分：囫囵一体。

③ 无极：无极势。

按：无极势，是一个面向正前的“立正”姿势。若能将身、心、意、气各方面的要领做到，则可称之为“无极势”。

第三节　起点[①]

开势先将身体立正，面向前，两手下垂，两足九十度之姿势[②]。心中要空空无物[③]。

此势谓之顺行天地自然化生之道，又谓之无极含一炁之势也。此势乃为练拳术之要道，形意拳术之基础也。（图 1）

图 1　无极图

注释

① 起点：这是《李谱》原文。

② 两足九十度之姿势：即两足跟并拢，两脚掌分开，夹角约为 90 度

③ 心中要空空无物：即心中没有任何杂念。

按：此“无极”势的要领是身无拙力，胸无拙气，心无杂念。

第二章

第一节　太极论①

太极者，炁、形、质之本，无极而有极也。②自无归有，有必归无，无能生有，有无相生，无有尽时。③太极中于四象，两仪之母也。④其性属土。天地万物皆以土为本，故万物之旺，由土而生；万物之衰，由土而归也。⑤在人五脏属脾，脾旺则人之四肢百骸健全。取诸形意拳中为横拳，内包四拳，即劈、崩、躜、炮之拳，共谓之五德，而又谓之五行也。⑥

注释

① 太极论：这是《李谱》原文。

② 太极者……无极而有极也：太极，是炁、形、质之本，是从无极生出来有极。

③ 自无归有……无有尽时：在形意拳中，由无极势产生太极势，进而产生

一切拳势，最后收势时再归于太极势，太极势再回到无极势，循环演势，没有尽头，正与此理相合。

④ 太极中于四象，两仪之母也：这句是说，太极是两仪的母式，由太极到两仪，最后终止于四象。中，当为“终”。

⑤ 其性属土……由土而归也：在形意拳中，太极势在五行中属于土性，各种拳势都以太极势为出发点和归宿，正是此理。

⑥ 取诸形意拳……谓之五行也：把太极之理用于形意拳中，则太极势就是横拳势，其中包含劈、崩、钻、炮四种拳法，合起来叫“五法”，又叫作“五行”。

第二节　太极势（一）[①]

将无极之姿势半面向左转，左足根靠右足里胫骨，为四十五度之姿势。[②]随时再将身体下沉[③]，腰塌劲[④]，头顶劲[⑤]，目平视。内中神意抱元守一[⑥]，和而不流。口似张非张，似合非合。舌顶上腭。谷道内提[⑦]。

此势取名一炁含四象，谓之揽阴阳，夺造化，转乾坤，扭气机，于后天之中，返先天之真阳，退后天之纯阴，复本来之真面目，归自己之真性命，而谓之性命双修[⑧]也。故心以动[⑨]，而万象生。其理流行于外，发著于六合[⑩]之远，无物不有。心以静，其气缩至于心中，退藏于密[⑪]，无一物之所存。故练拳依此开势为法也。

注释

① 太极势（一）：这是《李谱》原文。

② 将无极之姿势……为四十五度之姿势：假设无极势是面向正南立正站立，左脚尖向东南、右脚尖向西南。则左转身至半面向东、半面向南，左脚转向东，右脚转向东南，成45度夹角。此时左足跟比右足跟靠前（前即东），左足跟正靠着右足里胫骨。足根，同“足跟”，后不另注。

③ 身体下沉：即屈膝弯胯，身体下蹲。

④ 腰塌劲：即塌腰。塌腰的反面是提腰，提腰则撅臀，塌腰则敛臀。

⑤ 头顶劲：头顶项竖，百会上提，下颏微收。

⑥ 抱元守一：抱持住自己的元精、元气、元神，意守一处，即意守丹田。

⑦ 谷道内提：即微提肛。

⑧ 性命双修：练首功是“修性”，练拳功是“修命”，拳与道合就是“性命双修”。

⑨ 心以动：即“心一动”。

⑩ 六合：天地与东、南、西、北四方为“六合”。

⑪ 密：秘密之处，这里指丹田。

第三节　太极（二）[①]

左足不动，右足向外斜横进步[②]。两手攥上拳，左手阳拳[③]停在左胯，右手随足进时，向里拧劲，拧成阴拳，如托物之势，顺胸上起，往前伸出。头项[④]，身拗[⑤]，目视右拳大指根节——谓之鸡腿、龙身、熊膀、虎抱头。鸡腿者，独立之势。龙身者，三曲之形。熊膀者，项直竖之劲。虎抱者，两手相抱，似猛虎离穴之意。总而言之，

即《中庸》不偏不倚之谓也。(图2)

图2　太极图

注 释

① 太极（二）：这是《李谱》原文。原书中脱一“势”字，应作“太极势（二）”。

② 右足向外斜横进步：即右脚外横着向前进步。

③ 阳拳：拳背向上为阳拳，拳心向上为阴拳。

按：也有拳谱与此相反。

④ 项：原文“项”当作“顶”。

⑤ 身拗：即身向左拗。

第三章

第一节　两仪论[①]

两仪者，是太极流行绵绵不息，分散而生也。太极左伸，则为阳仪。太极右缩，则为阴仪。所谓阳极必生阴，阴极必生阳，阴阳相生，则生生不息。天为一大天地，人为一小天地。天以阴阳相合而生三才。三才者，天、地、人，三才之象也。人以阴阳而生三身[②]。三身者，上、中、下三丹田也。三田往返，阴阳相交，为人性命之根，造化之源，生死之本，即道家之金丹是也。拳术之理亦然。且拳术左分则为阳仪，右分则为阴仪。阴阳伸缩，生生流行，绵绵不息，即拳内动静、起落、进退、伸缩、开合之玄妙也。所以数不离理，理不离数，数理兼用，方生神化之道。[③]体用一源，动静一理，分而言之为万法，合而言之仍归太极之一炁也。形名虽殊，其理则一，正是此意义也。

注释

① 两仪论：这是《李谱》原文。两仪，就是阴仪和阳仪。仪，容仪。

② 人以阴阳而生三身：此句《李谱》原文为："人以三才而生三身。"

③ 数不离理……神化之道：数离不开理，理离不开数，数与理都用上，才能生出神妙的变化。数，易数。理，易理。方，才。

按：无极生太极，太极生阴阳两仪，两仪生三才，这是理。零生一，一生二，二生三，这是数。形意拳由无极势生出太极势，由太极势经过阴仪或阳仪生出三才势（即三体势）。由太极势左边伸出为阳仪，右边伸出为阴仪。阳仪到极点必变为阴仪，反之亦然。一左一中，一阳一阴，变化不已。这就是阳极生阴，阴极生阳，阴阳相生，生生不息。无论阳仪，阴仪，伸到极处就成为三才（三体势）。

第二节 两仪生三才[①]

将太极之姿势，右足不动，左足向前进步。左手同足进时[②]，往前顺右肱推出，至右手腕向下翻劲，成半阴阳掌[③]；右手亦同左手往前推翻时，向里扭劲，回拉至下丹田，成半阴阳掌。两手大指虎口圆开，两肱曲伸，似直不直，似曲不曲。目视左手大指稍。两肩松开沉劲，两胯根塌劲，是肩与胯合；两肘垂劲，两膝合劲，是肘与膝合；两足蹬劲，两手五指伸劲，是手与足合。此谓之三合也。[④]要而言之，是肩催肘、肘催手，腰催胯、胯催膝、膝催足，上下合而为一。此身势不可前裁后仰、左斜右歪。[⑤]正是斜，斜是正，阴是阳，阳是阴，[⑥]阴阳相合，内外如一，[⑦]此谓之六合[⑧]也。总而言之，六合是内外相合。

内外相合，即是阴阳相合。阴阳相合，三才[9]因斯而生焉。

以后无论各拳、各形开势，皆用三才势为主。熟读拳经，深默温习，法无不中。拳经云：三才三身[10]非无因，分明配合天地人。三元灵根[11]能妙用，武术之中即超群。（图3）

图3　两仪三才图

注释

① 这一节是《李谱》原文。

② 左手同足进时：左手在左足进步的同时。

③ 半阴阳掌：原谱中为“半阴半阳掌”，下一处同。掌心为阴面，掌背为阳面，掌的半个阴面和半个阳面朝前，另外半个阴面和半个阳面朝后，即前左手的掌心朝向前、右、下。

④ 两肩松开……谓之三合也：这是对形意拳“外三合”的技术要领的最权威的说明。“两胯根塌劲”，就是两胯里根往回抽含，使胯往下塌。两膝合劲，

就是两膝向里扣合。

⑤ 此身势不可前栽后仰，左斜右歪：是说立身要中正。原文“裁”字误，当为“栽”字。

⑥ 正是斜……阳是阴：此即身斜45度，半面向前，半面向右的“半阴半阳身”。

⑦ 阴阳相合，内外如一：身体阴缩、阳伸相结合，内部意气与外部劲力相贯通。

⑧ 六合：内三合、外三合共为六合。内三合：心与意合，意与气合，气与力合；外三合：肩与胯合，肘与膝合，手与足合。

⑨ 三才：即“三才势”，也叫三体势。

⑩ 三身：即三丹田。上丹田泥丸，为藏神之所；中丹田黄庭，为藏气之所；下丹田土釜，为藏精之处。

⑪ 三元灵根：元精、元气、元神为“三元”；灵根：灵慧之根，即“先天祖炁”。

五行拳术①

第一章 劈拳讲义②

劈拳性属金，是阴阳连环，成一气之起落也。③气之一静，故形象太极；气之一动，而生物。其名为横。横属土，土生万物，故内包四拳。按其五行循环之数，土能生金，故先练习劈拳。上下运用而有劈物之意。其性像斧，故名劈拳。取诸身内，则为肺。劲顺则肺气和，劲谬则肺气乖。夫人以气为主，气和则体壮，气乖则体弱，故学者，不可大意也。步法三步一组：前足进为一，后足进为二，既进之足复跟为三。④如下图⑤（图4）。

注释

① 五行拳术：原文无此标题，根据目录，内容加此标题。

② 劈拳讲义：这是《李谱》原文，以下五行拳及十二形拳各拳“讲义”首段均为《李谱》原文，不再说明。

③ 劈拳性属金……成一气之起落也：劈拳属于金性，是由阴半圈和阳半圈连成一个圆环，从而形成的“一气之起落”运动。一气：一气呵成，无间断，无棱角。

按：后文讲，崩拳是“一气循环往来”，钻拳是“一气之流通曲折”，炮拳是“一气之开合”，横拳是“一气之团聚而后分散也。”这几处对我们理解和学习五行拳很重要。

④ 步法三步……复跟为三：（劈拳的）步法以三步为一组：前脚垫进为第一步；后脚大进一步到前脚之前为第二步，前面垫进的脚再跟进半步为第三步。

按：拳谱云：“起势如挑担，行步如槐虫。”这里所讲劈拳步法，就是形意拳典型的“槐虫步”。

⑤ 下图：指第一节的“劈拳进步路线”图。

第一节　劈拳进步路线①

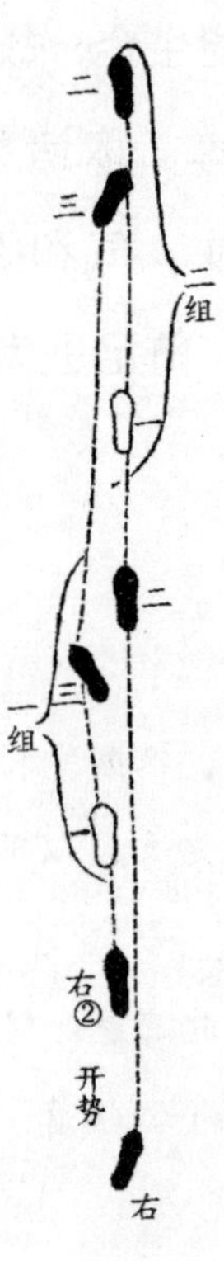

图4

注 释

① 劈拳进步路线：本书各拳“进步路线”图都很精准，希读者重视。

② 右：据原书“勘误表”，此处“右”应为“左”字。

第二节 劈拳起势[①]

图5 劈拳左势图一

三才势右足不动，先将左足尖向外[②]，前[③]进步。两手同时攥上拳。右手将拳阴翻[④]，靠右脐旁停住。左手将拳往下直落至丹田（俗名小腹），变成阴拳，不停，随时顺胸往上蹿至心口，手如托物之势向前推伸，与右足相顺[⑤]，高不过口，低不过喉。两肱、两股似曲非曲，似直非直。头顶劲。腰塌劲。目视左阴拳大指根节。（图5）

拳经[⑥]云：

两手紧握，同变阴拳。

左拳落出[⑦]，肘顺胸前[⑧]，

高不过肩，力垂左肩[⑨]。

右拳靠脐，肘置肋边。

眼平舌卷，气降丹田。

注释

① 起势：形意每拳都分为起、落二势，其理甚深。

② 左足尖向外：左足尖外撇或外横。

③ 前：向前。

④ 阴翻：翻成阴拳。阴拳，拳心向上为阴拳。

⑤ 与右相顺：（左手）与右足前后对顺。

⑥ 拳经：此指《形意拳谱·五行拳谱》。

⑦ 左拳落出：左拳先抓落，后钻出。

⑧ 肘顺胸前：（左）肘前后顺着置于胸前。

按：这就是要做到肘垂，臂裹，肘窝朝上。

⑨ 力垂左肩：用力下垂左肩。

按：盖因为左手向前上钻出时（实为横拳）左肩易耸，这是病态，所以强调左肩下垂。这句话最易理解成"把力垂到左肩"，这是错误的。

第三节　劈拳落势

再换势。右足向前大进，左足后跟，相离一尺五六寸。总而言之，两足站离，合自己之步法姿势为佳。右手同足进时上起①，顺左肱向前拧劲推伸，下翻成半阴阳掌，高平乳，形顺足。②左手亦同时向下翻，往后拉劲③成掌，至左胯前停住。肱股曲伸④，头顶身挺。目视右手食指稍。（图6）

图6　劈拳右势图二

再演，与左势图一、右势图二手法、步法均相同。数之多寡勿拘。回身总宜出左手、左足再回身。

拳经云：

左足既开，右足大进。

手足齐落，推挽两迅。⑤

左足斜⑥跟，右足仍顺⑦。

指开心齐，后手肋近。⑧

手足与鼻，列成直阵。⑨

注释

① 右手同足进时上起：右手在右足进步同时向前上钻起。

② 高平乳，形顺足：右手高与乳平，且右手与左足前后对顺。

③ 拉劲：要使左手的回拉劲与右手的拧钻、翻劈劲形成一个劲。

④ 肱股曲伸：臂和腿微曲着伸开。

按：此即形曲而力直，力直但形曲。

⑤ 手足齐落，推挽两迅：右手与右脚要一齐落点到位，右手向前推挤、左手向后拉挽，两劲成一劲，迅速整齐，干净利索。

⑥ 斜：外撇或外横。

⑦ 顺：正向前。

⑧ 指开心齐，后手肋近：前右手五指分开，与心对齐，后左手拉回到左肋附近。

⑨ 手足与鼻，列成直阵：前右手，前右脚，鼻子要三尖相对，位于同一个前后方向的竖直平面内，形成前后竖向支撑结构。

第四节　回身法

左足在前右转身[①]右足在前左转身。转身时，在前之足尖向回扣，稍进成斜横形势[②]；在后之足随转身时前进成顺[③]。前手亦同身转时挽回成阴拳，紧靠左脐旁；后手亦同转身时向里合劲[④]，顺胸往前托伸。目视大指中节。（图 7）

图 7　劈拳右回身图三

拳经云：

起势蹿，落势翻，

行如槐虫起挑担[5]。

若遇人多，三摇两旋。[6]

正是转身之谓也。

劈拳右转路线图如下（图8）。收势仍归于原地。

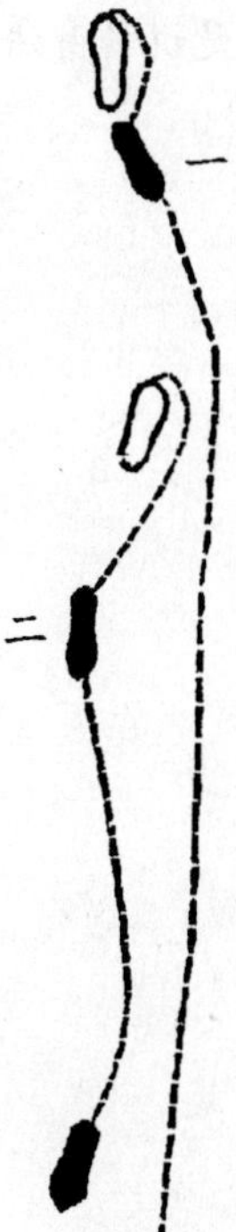

图8　右转回身进步线图

注释

① 左足在前右转身：在足在前则右转身。

② 稍进成斜横形势：稍稍前进，外撇45度落地。

按：这个“前”是转身后的前。

③ 顺：脚尖朝向正前方为“顺”。这里的前也是指转身后的前。

④ 向里合劲：肘向里合，拧成阴拳。

⑤ 起挑担：起如挑担。起势就像挑起一副重担，负重而起。

⑥ 若遇人多，三摇两旋：这是说转身法能够对付侧背之敌。

第二章　崩拳讲义

崩拳性属木，取之身内属肝，以拳之应用为崩拳。此拳之性能，是一气循环往来，势如连珠箭，所谓崩拳似箭属木者是也。练之拳势顺，则肝舒气平，养心神，增筋力，而无目疾、腿疾之患；拳势逆，则伤肝，肝伤则两目昏花，两腿痿痛，一身失和，心火不能下降，拳亦不得中立地步。

然崩拳势极简单。其练法，左足前进，右足相跟，相离四五寸。此势不换步，出左手进左足，出右手亦进左足，一步一组。学者于此拳中，当细研究其妙道焉。

第一节　崩拳进步路线

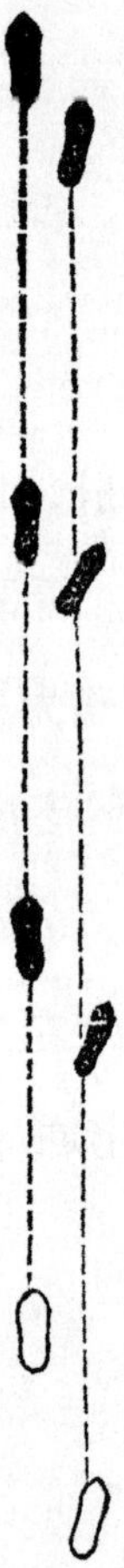

图 9

第二节　崩拳起势

三才势[①]，将左足极力向前直进步，右足同时紧后跟步，相离四五寸。两手同足进时攥上拳，右拳虎口朝上，肩肘暗含着劲[②]，向前顺左肱手腕上猛伸直出[③]，高与心口相平；左拳以暗含劲[④]，向里扭成阴拳，同时往回拉至左胯前，阴拳停住。目视右拳虎口。手足起落要相齐。(图10)

图10　崩拳右起势图一

拳经云：

左足先开，右足跟进。

胫对左踵[⑤]，腿曲势峻[⑥]。

两掌变拳，后阴前顺。

顺者力挽，阴者前奋。[⑦]

两手互易，步法莫紊。[⑧]

注释

① 三才势：由三才势（即三体势）。

② 肩肘暗含着劲：即沉肩垂肘。

③ 向前顺左肱手腕上猛伸直出：向着正前方从左手腕上猛力打出。肱，臂。

④ 左拳以暗含劲：左拳亦暗含着与右拳对拉的劲，以，当为“亦”。

⑤ 胫对左踵：右腿里胫骨正对左脚跟。踵，脚后跟。

⑥ 腿曲势峻：两腿弯曲，其势险峻。

⑦ 顺者力挽，阴者前奋：前面的顺拳用力拉回变为阴拳，后面的阴拳奋力前击变为顺拳。顺，顺拳，虎口朝上的拳为“顺”拳。力，用力，奋力。挽，拉挽。

⑧ 两手互易，步法莫紊：两手互换出击，下面步法始终保持左进右跟，不要紊乱。易，交换。

第三节　崩拳落势

将前姿势，左足再向前进步，右足随同跟步。左手拳暗含着劲，虎口朝上，同足进时，顺右肱肘外手腕下①，往前极力发出；右手亦同左拳外发时，极力顺左肱回拉，拉至右胯前停住。目视左手虎口。头顶，腰挺，气垂，两肩松开②。（图 11）

图 11　崩拳左势图二

再换势，如起势第一图，落势第二图。多寡勿拘。回身总宜出左手左足再回身。

拳经云：

左足再进，右足后跟。

右手力挽，左拳阴伸[3]。

手足齐出，两手力均。

后拳成阴，前拳要顺。

目视前手，理[4]要齐心。

注 释

① 顺右肱肘外手腕下：此句疑为“顺右肱手腕上”。

② 头顶……两肩松开：头顶项竖；腰要塌，又要有挺力；虚胸实腹，气沉丹田；两肩松开下沉。

③ 阴伸：由阴拳向前打出（变为顺拳）。

④ 理：按理，按规矩。

第四节　崩拳回身法[1]

崩拳回身，俟[2]左拳打出时再回身。先将左手向里合劲，至左胯前阴拳停住。左足尖速向回极力扣在右足根[3]后，左足根与右足尖相对成斜八字势[4]。右足亦同时将足向外斜横[5]，高提起进步[6]。右手拳亦同足进身转时[7]，向里扭成阴拳，如托物之势，往前极力伸发[8]，俟右足着地时，将拳下翻成掌，往回拉劲至右胯前。左手亦同右拳下翻拉时，顺右肱往前伸发，扭劲成掌。形势左肩右膝，剪子股拗势，[9]取名为狸猫倒上树。（图 12）

图 12　崩拳回身图三

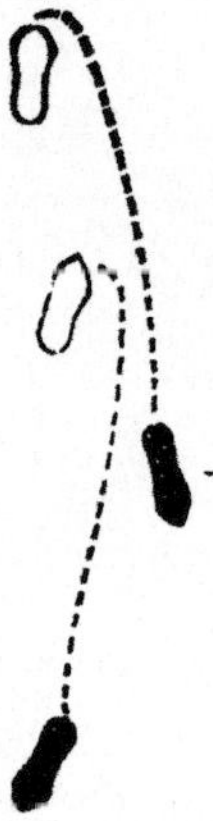

图 13　右转回身路线

拳经云：

左扣右横，随时转身。

右足横提，右拳阴伸。

左拳抑[⑩]抱，推挽力均。

手足齐落，两掌半阴[⑪]。

后掌在肋，前掌齐心。

注释

① 崩拳回身法：崩拳回身有三动：一为扣步转身，二为蹬腿钻（横）拳，三为拗步剪子股劈拳。

② 俟：音 sì，等，等待。

③ 根：古同“跟”。后不另注。

④ 斜八字势：两脚形成一个斜的“八”字。

⑤ 将足向外斜横：将右脚外横着。

⑥ 高提起进步：先尽量抬高，再蹬出，再进步踩落。

⑦ 同足进身转时：在左足扣，右足蹬进及转身同时。

⑧ 往前极力伸发：往前上钻出。

⑨ 形势左肩右膝，剪子股拗势：势成时，成为左肩右膝在前的斜身剪子腿形式。股，腿。

⑩ 抑：据原稿“勘误表”当作“仰”。

⑪ 半阴：半阴半阳。

第三章　蹿拳讲义

蹿拳性属水，是一气之流通曲折，无微不至也。[①]蹿上如龙突然出水，又似涌泉趵突上翻。[②]取诸身内属肾，以拳中为蹿拳。其拳快似闪电，形似突泉，所谓属水者是也。拳势顺，则真劲突长，肾足气顺。拳势逆，则拙力横生，肾虚气乖，清气不上升，浊气不下降，真劲不长，拙力不化矣。学者当知之。三步一组，如下图[③]（图 14）。

注释

① 蹿拳性属水……无微不至也：蹿拳是水性，能够连贯一气，曲折流动，无微不至。

按：蹿拳在用法上，能够绕开对方的防守，对方有一点空隙，就能钻进去打他。《孙子兵法·虚实》第六："夫兵形像水，水之形，避高而趋下；兵之形，避实而击虚。水因地而制流，兵因敌而制胜。"

② 蹿上如龙突然出水，又似涌泉趵突上翻：蹿拳向前上钻出，就像龙突然从水中窜出来，又像一股压力很大的泉水突然从地底上猛翻上来。趵，音 bào，跳跃。济南市有"趵突泉"。

③ 下图：指第一节"蹿拳进步路线"图。

第一节　蹚拳进步路线

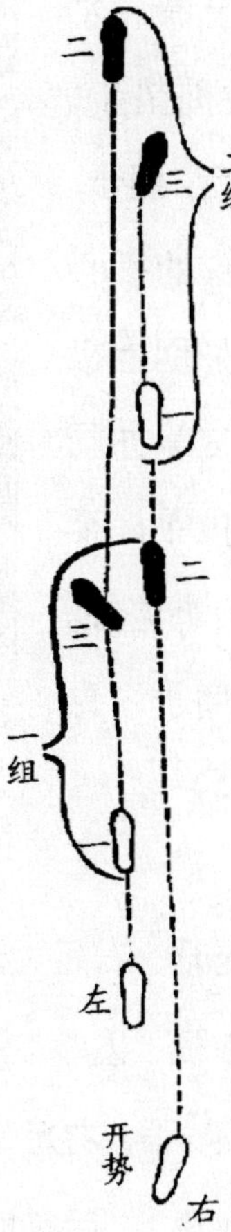

图 14

第二节　躜拳起势

图 15　躜拳右式图一

将三才势，两手同时攥上拳。左肱停住拳不回①，再将左足往前垫步，右足随后往前大进步②，左足后③跟步。右拳亦同足进时向里拧劲，拧的手心朝上，用肩之力④，将拳顺左肱肘上极力上躜成阴拳，高与鼻齐；左拳亦同足进拳躜时，顺右肱肘往下拉劲，至右肘下二三寸，手心朝下，阳拳停住。目视前手小指中节。头顶，肩垂，身挺⑤，手足起落要相齐。(图 15)

拳经云：

左足先开，右足大进。
足落拳躜，覆拳⑥宜迅。
左足斜⑦跟，右足仍顺⑧。
前拳取鼻⑨，后拳肘进⑩。
手足与鼻，列成直阵。

注释

① 不回：不收回，不屈回，即原地不动。

② 右足随后往前大进步：右脚随之向前大进一步到左脚前。

③ 后：随后。

④ 用肩之力：即腰催肩、肩催肘、肘催手。

⑤ 身挺：腰身要挺住劲。

⑥ 覆拳：左拳拉回翻成阳拳。覆，把拳翻扣过来。

⑦ 斜：脚外撇 45 度为“斜”着。

⑧ 顺：脚朝正前方为“顺”着。

⑨ 取鼻：钻击对方的鼻子。

⑩ 后拳肘进：“进”，据原书“勘误表”当作“近”。后拳收回到前肘后下附近。

第三节　躜拳落势[①]

图 16　躜拳左势图二

换势时，右足先往前垫步，左足往前大进步，右足后跟步。左拳亦同足前进时，向里合劲[②]，合的手心朝上，顺右肱肘上极力上躜成阴拳，高齐鼻尖；右拳亦同足进拳躜时[③]，向下扣劲，扣的手心朝下，顺左肱下拉至肘二三寸，阳拳停住。目视前手小指中节。（图 16）

再演，手足起落。如一起势、二落势图。手数多寡勿拘。

拳经云：

右足已开[④]，左足大进。

右手回撤，左手前奋[⑤]。

右足紧跟，左足仍顺。

手足齐落，换势莫紊。

前拳取鼻，后拳齐心。

注释

① 蹿拳落势：该名称有误，应为“蹿拳换势”为宜。因为每一个蹿拳就是一个完整的起落势，前脚垫进为“起”，后脚大进为“落”。

② 向里合劲：即向里拧裹。

③ 同足进拳蹿时：在左足进步、左拳上蹿的同时。

④ 开：开步，即垫步。

⑤ 前奋：向前奋击。

第四节　蹿拳回身法

左足在前，右转身；右足在前，左转身。转身时，先将左足尖向回扣步，扣在右足旁成斜八势；右足亦随左足扣时，仍顺前进[①]。左手亦同足扣足进时[②]，向上拳回[③]，扣至左肩上。右手拳从肋顺胸极力上蹿。左拳俟[④]右拳上蹿时，极力往回顺右肱拉回至肘，仍如前形。

手足起落要相齐。目视前手小指中节（图 17）。收势仍归于原地，休息。（图 18）

图 17　蹿拳右回身图

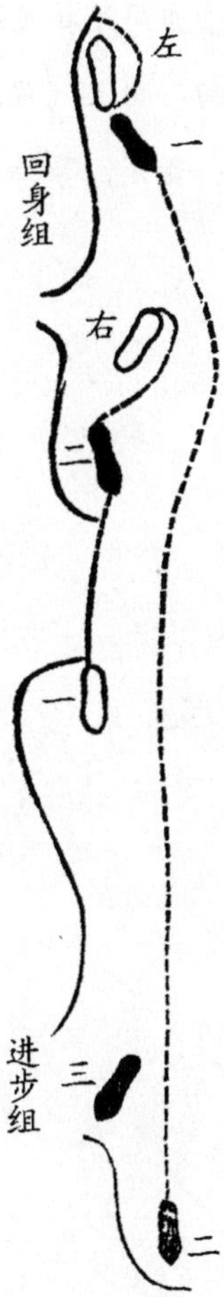

图 18　右转进步路线

注释

① 仍顺前进：仍然是顺着向前进步。这个“前”是转身后的前。

② 左手亦同足扣足进时：左手也在左足扣、右足进的同时。

③ 拳回：向上（屈肘）勾回。拳，通“蜷”，屈曲。

④ 俟：音 sì，等待。

第四章　炮拳讲义

炮拳性属火，是一气之开合[①]，如迫击炮之忽然子弹突出[②]，形最猛，性最烈。取诸身内属心，以拳中为炮拳。形似烈火炮弹[③]，所谓属火者是也。拳势顺，则身体舒畅，心气虚灵。拳势逆，则四体若愚，心气亦乖[④]，关窍昧闭矣。学者务宜深究此拳也。四步一组，步径斜曲。图如下[⑤]（图 19）。

注 释

① 开合：由合而开。

② 子弹突出：炮弹冲出（炮管）。

③ 烈火炮弹：炮弹是由火药燃烧冲出炮膛，所以说“烈火炮弹”。

④ 乖：背戾，不和谐。

⑤ 图如下：指第一节“炮拳进步路线”图。

第一节　炮拳进步路线

圆圈是足尖着地之迹

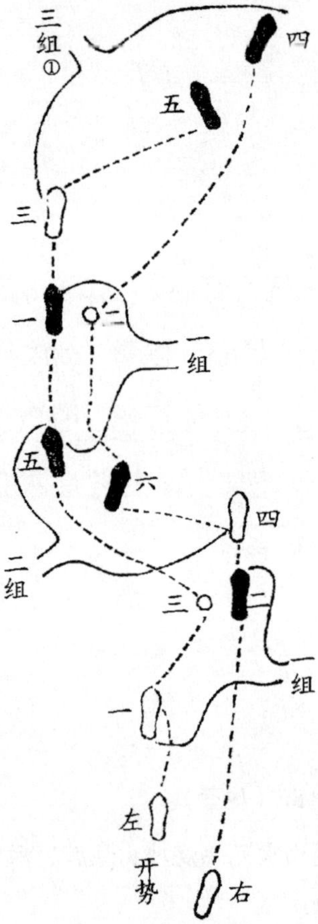

图 19

注释

① 三组：据原书“勘误表”，此处应为“二组”。

第二节　炮拳起势

图 20　炮拳起势图一

三才势[①]，左足先向前垫步，右足随后往前大进步[②]，左足再随跟步，与右足相并，足尖着地，紧靠胫骨[③]。左肱停住不折回，右手亦同足垫步大进时，手心朝下极力往前伸，与左手相齐。俟两足并立着地时，一齐往下，怀中抱劲至脐，向上合劲，翻的手心朝上，紧靠脐根。两肱抱肋[④]。头顶，身挺，腰垂，目平视。（图 20）

拳经云：

左足先进，右足随之。
右斜左提，眼观一隅。[⑤]
掌变阴拳，右肋左脐。[⑥]
有如丁字，莫亢莫卑。[⑦]
两肘加肋，舌卷气息。[⑧]

注 释

① 三才势：由三才势（即三体势）。

② 右足随后往前大进步：再右脚大进一步到左脚前。

③ 胫骨：右腿里胫骨。

④ 两肱抱肋：右手随左脚垫步前伸与左手对齐，再两手一齐随右脚进步抓回肚脐处，右脚一落地，左脚立即跟上成并步。

⑤ 右斜左提，眼观一隅：右脚斜立，左脚提并，眼看左前方。

⑥ 右肋左脐：右拳在肚脐右边，左拳在肚脐处。

⑦ 有如丁字，莫无莫卑：两脚形同一个“丁”字，态度要不卑不亢。

⑧ 两肘加肋，舌卷气息：两肘夹肋，舌顶上腭，气沉丹田。

第三节　炮拳落势

换势进步：先将右足垫步[1]，左足随时[2]往左斜方进步，右足再跟步，相离远近一尺二三寸。此足相离之姿势，总宜合法乎中[3]（中者，不偏不倚之谓也）。左手亦同足进时，顺着身子往上蹿拳，蹿至头正额处，向外拧劲，拧至手心朝外，高与眉齐，肘起与肩平。右手亦同足进、左拳上蹿外翻时，从心口往前直出，与崩拳出手势相同。目视前手虎口。（图 21）

图 21　炮拳落势图二

手足起、落、蹿、翻，总要一气[4]相齐。左右换势，手足身法均相同。数之多寡自便。

拳经云：

右拳顺出，如石之投。[5]

左拳外翻，置之眉头。

足提者进，与左拳侔。[6]

左右互换，勿用他求。

试详路线，如龙如蚪。[7]

注 释

① 垫步：向正前方垫步（见图 19）。

② 随时：随即。

③ 合法乎中：正合适。

按：炮拳打出时，由于拗步等关系，两脚前后距离要略小于三体势。

④ 一气：完整一气，一气呵成。

⑤ 右拳顺出，如石之投：右拳打出成为顺拳（虎口朝上为“顺拳”），就像投出一块石头。

⑥ 足提者进，与左拳侔：提起的左足向左前方进步，左足与右拳上下对齐。与左拳侔，当为“与右拳侔”。侔，音 móu，齐等。

⑦ 试详路线，如龙如蚪：炮拳路线左右“之”字形前进，就像龙蛇和蝌蚪蜿蜒而行。

第四节　炮拳回身法

左足在前，右转身；右足在前，左转身。转身时[1]，将左足往回扣至右足旁着地，右足随转身时提起靠左足胫骨。两拳亦同身转、足着地时，向怀中抱劲，抱至手心朝上紧靠丹田。目视右方（图 22）。仍斜打。譬如路线南北，转身前打东南者，转身后、则打东北。[②]四隅[③]皆依此类推。再换势，进步、手法、步法，仍与起落二势图相同。回身一隅路线图如下（图 23）。收势归原，休息。

图 22　炮拳回身势图一

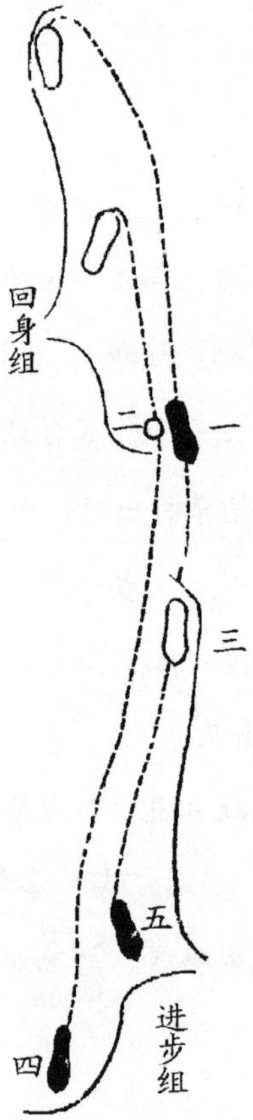

图 23　右转回身进步路线

注 释

① 转身时：这是右转回身法。

② 譬如路线……则打东北：譬如沿南北方向打，转身前最后一个炮拳向东南方向打的，则在右转回身后的第一个炮拳是向东北方向打出。

③ 四隅：四个拐角。隅，角落。

第五章　横拳讲义

横拳性属土，是一气之团聚而后分散也。取诸身内为脾。脾属土，土旺则脏腑滋和，百疾不生，所谓属土者是也。取之于拳为横拳。拳势顺，似土之活，滋生万物，五脏和霭，一气灌溉。拳势逆，气努力拙，内伤脾土，五脏失调，外似死土，万物不生。故此拳为五拳之要素，学者宜慎思明辨之。

步法斜径[①]，类劈躜而非直线，其湾[②]曲又似炮拳。三步一组。如下图[③]（图24）。

注释

① 步法斜径：步法斜而直。径，直。

按：前面说炮拳“步径斜曲”是说炮拳步法路径为“斜而曲”。

② 湾：古同“弯”。

③ 下图：指第一节“横拳进步路线”图。

第一节　横拳进步路线

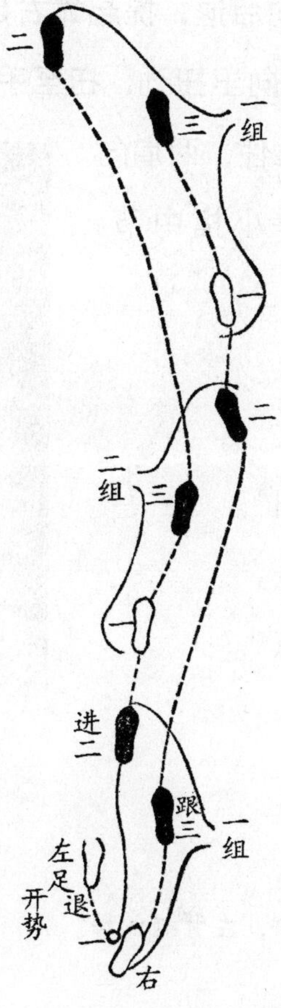

图 24

第二节　横拳起势

三才势，先将左足向后退，提起靠右足里胫骨。两手同足退时，一齐攥上拳。左肱曲挺[①]向里扭劲，扭至手心朝上；右拳亦向里扭至手心朝上，进至左肘下靠住，两肩向里合扣。目视左手阴拳小指中节。(图25)

图25　横拳起势图一

拳经云：

左足退提，右足孤立[②]。
两手成拳，前阴后阳[③]。
阴者平肩，阳者肘匿。[④]
眼平身正，舌卷屏息[⑤]。
停峙虽暂，厚其足力。[⑥]

注释

① 左肱曲挺：左肘微曲，左臂挺住劲。肱，手臂。

② 孤立：独立。

③ 前阴后阳：前手为阴拳，后手为阳拳。

按：本节所述练法，后手也扭成阴拳，与拳谱不合。

④ 阴者平肩，阳者肘匿：前手阴拳高与肩平，后手阳拳藏在前肘的后下。

⑤ 舌卷屏息：舌顶上腭，气沉丹田。

⑥ 停峙虽暂，厚其足力：此势虽然短暂，右足要牢牢站稳。

第三节　横拳落势

再进步换势。先将左足极力往前进步，右足随后紧跟步。右手心向上，亦同足进跟时，顺左肱肘外往上起蹼①，顺左膝②成阴拳；左手拳亦同时向里合劲③，顺右肱回拉劲至脐根④，拳心朝下靠住。身斜步拗⑤，目视右手阴拳小指中节。（图 26）

图 26　横拳落势图二

再演，进步换势，前足先进，后手顺肱上拧，前进而蹼；后足大进，前手回拉，里扣而翻。⑥既进之足复为⑦后跟。数之多少自便。回身势，宜出右手、左足再回身。

拳经云：

足进而落，已成剪形⑧。

后拳外蹼，前拳退行。

蹼翻小指，退与肘平。⑨

下拳横出，故以横名。⑩

手足变换，反用则成⑪。

注　释

① 顺左肱肘外往上起蹼：从左肘下顺着左臂肘外侧往前上钻出。

② 顺左膝：右拳与左膝前后对顺。

③ 合劲：扣合。

④ 顺右肱回拉劲至脐根：从右肘上顺着右臂拉回至肚脐处。

⑤ 身斜步拗：身向左拧斜，步是拗步（异侧拳脚在前为“拗步”）。

⑥ 前足先进……里扣而翻：这几句排序有误，正确顺序应当是“前足先进（即垫步），后足大进。后手顺肱上拧，前进而蹚；前手回拉，里扣而翻。”

按：前脚垫进时，两手不动。后脚进步时，两手才动。

⑦ 复为：再，随即。

⑧ 剪形：斜身拗步，两手、两腿形如剪刀，故称“剪形”。

⑨ 蹚翻小指，退与肘平：前蹚的拳要翻成小指朝天，后退的拳要退到前肘的后下方。

⑩ 下拳横出，故以横名：因为后拳从前肘下横着打出，所以命名为“横拳”。

⑪ 反用则成：左右反过来就可以了。

第四节　横拳右转回身法

右足在前，左转身；左足在前，右转身。转身时，前足尖回扣，扣在后足外傍。后足随进，扣足再跟。右手拳回扣在左肩上，左手同时与足前进，从肘外上拧而蹚。扣肩之手同时亦往下拉劲。（图 27）

图 27　横拳右转回身法图三

手法、足法、目标，与前势相同。收势，归于原地休息。（图 28）

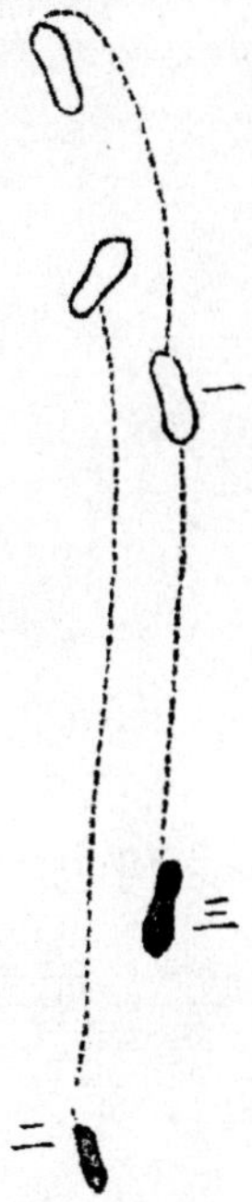

图 28　横拳回身路线

第六章 五行合一进退连环拳讲义

连环者，是五行变化合一之势也。五行分演，则谓之五行拳，而为五纲①也；合演，则谓之七政②，而为连环也。五拳合为一套，倏③进倏退，循环连珠，陆离光怪④，贯为一气，进退无常，故谓之进退连环拳。

练习连环拳以五行拳为母。五拳未能习熟，不必学连环拳。此拳共有十六势，进退各法，往复练之范围亦小，是亦有引长之法，练习于宽地不见其短。引长之法：至十六节不转身，仍打崩拳，接前势，则往复足六十四势⑤矣。且连环拳法以应用为主，连环拳可以连环用之。握之则成拳，伸之则成掌，故可变为连环掌，此徒手之应用也。刀、剑、棍、枪、戟、铲、鞭、锏，无不可用。有刃则砍，有锋者则刺，无锋刃者⑥则打，不过手势之变化耳。故器械无论大小、长短、双单，皆可包括无遗。苟明变化之功，何往而不应用哉?

注 释

① 五纲：五种最典型、最有代表性的拳法。纲，本指渔网的网口处的总绳，

这里指事物的总要、大要。

② 七政：北斗七星叫“七政”。因五行连环拳的步点类似北斗七星的布局，所以把该拳套称为“七政”。

③ 倏：音 shū，原义为犬疾行，引申为疾速，忽然。

④ 陆离光怪：即光怪陆离。光怪，奇异的光彩；陆离，各式各样。形容奇形怪状、五颜六色。

⑤ 六十四势：一出为十六势，到第二势还返回，再打十六势，再返回打两个十六势，共六十四势。

⑥ 无锋刃者：无锋无刃者。

第一节　进退连环路线图

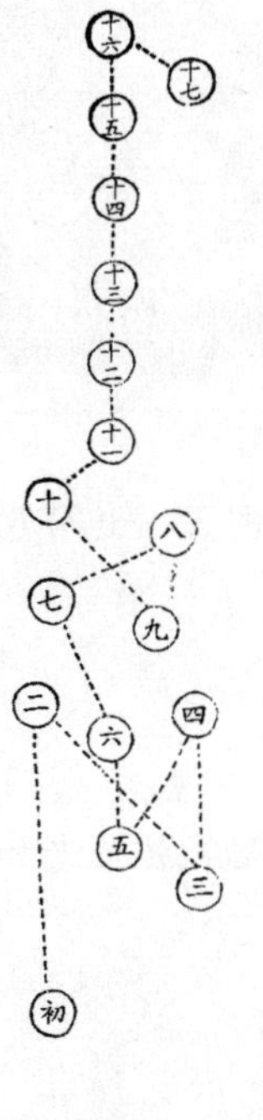

图 29

第二节　进步崩拳[①]

初势仍用三才势开首，继则两手攥拳。先由左足进步向前，右足紧跟。右手拳虎口朝上，同时顺左肘往前极力直出；左手亦同时往后拉至身边，紧靠胯前。目视前手虎口。势如行军阵图冲锋直击之意。与崩拳初势相同。（图30）

图30　连环崩拳图

注释

① 进步崩拳：原书无此标题，校注者加。

第三节　连环拳换势

图31　青龙出水图

右足向后退步，左足向右足后大退步。左手亦同时向里拧劲[①]，拧至手心朝上，顺右肱肘外极力伸蹿[②]，与右膝相顺；右手向里合劲[③]，合至手心朝下，顺左肱回拉至右胯，翻成阴拳[④]停住。左肩右膝[⑤]，身拧步拗[⑥]，剪子股势[⑦]。目视前手小指中节。（图31）

如行军阵图出左翼，名为青龙出水，又谓退步横拳。

注释

① 拧劲：裹拧。

② 顺右肱肘外极力伸蹿：从右肘下顺右臂肘外向前上钻出。

③ 合劲：翻合。

④ 阴拳：当为“阳拳”。拳心向下为阳拳。

⑤ 左肩右膝：左肩右膝在前。

⑥ 身拧步拗：身向右拧斜，步为拗步。

⑦ 剪子股势：即剪子腿势。两腿如剪刀形，所以名“剪子股”。股，腿。

第四节　连环拳换势

再将右足往前直进步，成顺势①，左足稍动为斜横②。右拳拧劲，虎口朝上，亦同足进时，从右肋向前顺左肱，与心口平，往前直出③；左拳向里拧，拧至手心朝下④，与右手前出、足进时⑤往后拉，手心朝上⑥，阴拳⑦至右胯⑧前停住。目视右手虎口。此势如行军阵图出右翼，名为白虎出洞，又谓顺步崩拳。（图 32）

图 32　白虎出洞图

注释

① 顺势：即顺步势。同侧手足在前为顺步。

② 左足稍动为斜横：左脚由前一势的里斜 45 度稍稍进步调整为外撇 45 度。

③ 直出：直打出。

④ 拧至手心朝下：先拧至手心朝下。

⑤ 足进时：右足进步时。

⑥ 手心朝上：再拧至手心朝上。

⑦ 阴拳：变成阴拳。

⑧ 右胯：应为“左胯”。

第五节　连环拳换势

图33　猛虎归洞图

先将左足向后垫步①，右足随后跟步②，与左足相并立。右拳亦同时向怀中抱回，紧靠脐上，与左拳相并。③两拳手心朝上，两肩合扣，两肱抱肋。目顺右肩平视。此势如行军阵图两翼翕合④，又谓之猛虎归洞。（图33）

注释

① 向后垫步：后撤一步，即撤垫。垫，铺垫，为下一动做铺垫。

② 跟步：跟撤。

③ 右拳亦同时……与左拳相并：此动与右足跟撤同步。

④ 翕合：合住。翕，音 xī，合。

第六节　连环拳换势

左足不动，右足仍向右斜顺进步[①]。两拳手心向里，同时顺胸上起至头额正处，再将两拳向外拧劲，拧至手心向外成十字形，随[②]往左右分开，如画上半圆形，两肱各顺肩[③]，两拳手心朝上。目视右手大指中节。此势如行军阵图两翼分张[④]之意，拳名鹘形[⑤]，通称谓之白鹤大展翅[⑥]。（图 34）

图 34　白鹤展翅图

注 释

① 向右斜顺进步：向右前方顺着进步。右斜，右斜方，即右前方。

② 随：随即。

③ 顺肩：与肩相顺，即臂与肩对成一条线。

④ 分张：张开。

⑤ 鹘形：现在形意拳通称为“骀形”。本书“鹘形”都指现今所称的“骀形”。

⑥ 白鹤大展翅：今名“白鹤亮翅”。

第七节　连环拳换势

图 35　猛虎蹲穴图

左足先向左斜方进步[①]，右足随后跟步[②]，足尖点地，紧靠左足胫骨。两拳同时分左右向下翻落，如画下半圆形，往怀中合抱变成阴拳，紧靠脐腹，右手拳在左手心内托住。头顶劲，肩合劲，目向右方平视。势如行军阵图，两翼合一，谓之“炮拳合身”[③]，又名猛虎蹲穴。（图 35）

注 释

① 左足先向左斜方进步：左脚先向左脚的左前方垫步（仍在右脚的左后方）。

② 跟步：跟撤。

按：左脚向左前方垫步后，再右扭身（此时右脚在身体右前方），右脚撤回与左脚并，同时两手划弧向中合击。

③ 炮拳合身：“炮拳合身”势（此为炮拳预备势）。

第八节　连环拳换势

左足不动，右足随向右方[1]进步。右拳同时上起，起至眉前为度，起时拳朝外拧，拧至手心朝外；左拳虎口朝上，于右足进步时，同时左拳突向前直出，与右膝相顺。目视前手虎口。势如行军阵图两翼合一，直击锐进，故名炮拳，又谓之猛虎出洞。（图 36）

图 36　猛虎出洞图

注 释

① 右方：右前方。

第九节　连环拳换势

图 37　退步鹰捉图

左足不动，右足向后退步。右手拳同时向里合肘，合至阴拳，与左肩平顺；[1]左手拳向怀合抱成阴拳至脐上[2]，从心口上蹿，顺右肱肘里，往前劈出，变成半阴阳掌；右手拳亦同左拳往前劈时，往回极力拉劲，至右胯前变成阴阳掌，大指紧靠小腹。目视前手食指稍。势如行军阵图两翼合一，退步返击之意，谓之包裹，故名退步鹰捉，通称劈拳。[3]（图 37）

注 释

① 右手拳同时……左肩平顺：与右足退步同时，向左拧身，右手臂向里掩裹，至肘窝，拳心朝上，右手臂与左肩相平，对顺。

② 左手拳向怀合抱成阴拳至脐上：此动与右足退步同时。以左拳劈出，右拳拉回为第二动（定步）。

③ 谓之包裹……通称劈拳：（这一拳势）叫作“包裹拳”，又叫“退步鹰捉”普通称为“退步劈拳”。

第十节　连环拳换势

图 38　双龙出水图

左足向前进步，右足微跟步。左手同时合劲[①]屈回至心口，中指、无名指、食指[②]拳回，大指、食指伸开，[③]手心朝上，从胸往上拧，向左横劲分开伸出。[④]此势连演两次[⑤]。右手俟左手二次再出时，将中指、无名指、小指拳回，大指、食指分开，手心朝上，从右肋向左肘里上蹿，往右横劲分开，肘要齐心，手要顺膝，身曲形拗，两膝相合。[⑥]左手腕同时向下翻劲，往回拉至左胯，手心朝下，脐旁停住。目视前手食指稍。此势真意为鼍形，性属土，在拳名横，势如行军阵图双龙出水。（图 38）

注 释

① 合劲：拧合。

② 食指：据原书“勘误表”，应为“小指”。

③ 中指、无名指、小指拳回，大指、食指伸开：引为“八字掌”。

④ 从胸往上拧，向左横劲分开伸出：先沿胸前中线往上拧钻，钻到嘴前时，以腰带动，微向左横，并往前伸出。

⑤ 此势连演两次：再拉回心口处，再伸出。

⑥ 肘要齐心……两膝相合：右肘齐心，右手与左膝上下对顺，身形曲含、拗住两膝合住劲。

第十一节 连环拳换势

图 39 狸猫上树擒拿图

左足往前先垫步，右足尖向外斜横着进步。左手同时往里合至手心朝上，从胸上蹿，顺右肱往前伸至极处，将手下翻成掌，与右膝相顺；右手亦同足进、左手上蹿时向里扣劲，往回拉至右胯，成阳掌，大指紧靠小腹。两肩松开垂劲，头顶劲，身屈，两腿形如剪子股势。目视左手食指稍。如行军阵图爪牙之势[①]，又谓之狸猫上树擒拿燕鹊之形也。[②]（图 39）

注 释

① 如行军阵图爪牙之势：（此势）就像行军阵图中的“爪牙”势。行军阵图，不详。

② 又谓之狸猫上树擒拿燕鹊之形也：此势为踩腿擒拿，对方之腿身即为“树”，所以叫作“狸猫上树擒拿燕鹊”。

第十二节　连环拳换势

图 40　快步崩拳图

先将右足向前垫步，左足极力向前大进步，右足再后跟步，两足相离四五寸。右手同时攥上拳，虎口朝上，齐心口往前顺左肱极力猛伸①；左手亦同足进、拳出时②，攥上拳往回拉，向里合劲，将手心翻上，至左脐旁，紧靠停住。目视右手虎口。两足两手之意，是换势快步崩拳③，势如行军直进击敌，谓之追风赶日不放松之法也。（图 40）

注释

① 极力猛伸：猛力打出。

② 同足进、拳出时：在左脚进步、右拳打出的同时。

③ 换势快步崩拳：由前势“狸猫上树”，前左手抓住对方，随着对方后挣，右脚垫进，右脚一垫即蹬（地），送左脚大进到右脚前，打出右手崩拳，不使对方逃脱，所以说是“换势快步崩拳”，又称为“追风赶日不放松”的打法。

第十三节　连环拳换势

图 41　顺势崩拳图

右足不跟，左足向前直进步[①]。左手同时将拳虎口拧上，往前顺右肱手腕直进，极力猛抖催出，与左膝相顺；右手拳同时抓回，往后拉劲，拉至右胯前，拳心朝上，靠紧脐腹。两肩内合外开[②]，头顶，身挺。目视左手拳虎口。势如行军阵图承上联下，合为一气，如连珠箭[③]直击敌之意，谓之一步顺势崩拳。（图 41）

注 释

① 右足不跟，左足向前直进步：（紧接着）左脚再进半步，右脚不跟。

② 两肩内合外开：两肩扣塌。

③ 如连珠箭：前一个右手进步崩拳与这一个左手顺步崩拳紧密相连，就像连珠箭，前箭刚到，后箭又至，箭箭穿心。

第十四节　连环拳换势

左足不进，右足尖向前斜横着进步①。右手拳同时向里拧，拧至拳心朝上，从胸上蹿，往前极力曲伸②，肘顺心口，拳与鼻齐；左手拳亦同时下扣抓回，向后拉至脐上，拳心朝下。身子阴阳相合，小腹放在右大腿上③，两腿剪子股形。头顶，项竖，目视前阴拳小指中节。谓之熊形出洞。（图42）

图42　熊形出洞图

注 释

① 右足尖向前斜横着进步：即右足尖外横着向前进步。

② 曲伸：微曲着前伸。

③ 小腹放在右大腿上：重心在右腿。

第十五节　连环拳换势

右足不动，左足向前进步。左手拳同时向里拧，从胸上蹿，顺右肱推劲至极处，将手腕向下翻扣，变成阴阳掌；右手拳亦同时向下翻扣成阳掌，往后拉回至脐紧靠。头顶，肩扣，两肱曲伸[①]。目视左手食指尖。拳名谓之鹰捉。鹰、熊二形合演，谓之斗志[②]。此二势，在连环拳内演之，谓之步步鹰熊[③]。（图 43）

图 43　步步鹰熊图

注 释

① 两肱曲伸：即两手臂微弯。

② 斗志：鹰熊斗志。

③ 步步鹰熊：即“步步英雄”。

第十六节　连环拳回身法

回身，与崩拳回身之法相同。拳名为狸猫返身倒上树[①]。此势如行军败中取胜之意。（图 44）

图 44　回身法图

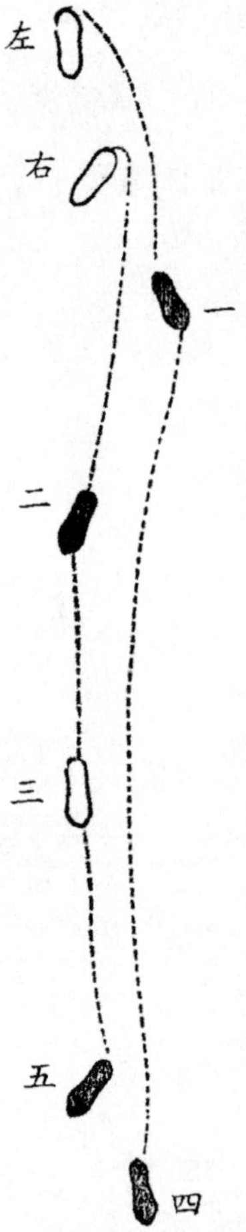

图 45　右转回身路线

拳经云[②]：

左扣右横，随势转身。

右足横提，右拳阴伸。

左拳抑[③]抱，推挽力均。

手足齐落，两掌半阴。

后掌在肋，前掌齐心。

败中取胜，势如行军。

狸猫抖威，上树返身。

洞明道理，五行归根。

注　释

① 狸猫返身倒上树：当敌从背后抓抱我时，我用扣步转身法即可反处于敌

之侧背，这时我从敌方侧背对其施以踩腿擒拿，所以称为“狸猫返身倒上树”。

② 拳经云：以下歌诀注释见前面“崩拳回身法”。

③ 抑：据“勘误表”当作“仰”。

第十七节　连环拳回演[1]

先将右足垫步，左足再向前大进步，右足再跟。右手同时往前发出，左手拉回。形势与第二节崩拳同。

第十八节　连环拳

青龙出水，与第三节势同。

第十九节　连环拳

白虎出洞，与第四节势同。

第二十节　连环拳

猛虎归洞，与第五节势同。

第二十一节　连环拳

白鹤展翅，与第六节势同。

第二十二节　连环拳

猛虎蹲穴，与第七节势同。

第二十三节　连环拳

猛虎出洞，与第八节势同。

第二十四节　连环拳

退步鹰捉，与第九节势同。

第二十五节　连环拳

双龙出水，与第十节势同。

第二十六节　连环拳

狸猫上树擒拿燕鹊，与第十一节势同

第二十七节　连环拳

快步崩拳，与第十二节势同。

第二十八节　连环拳

顺势崩拳，与第十三节势同

第二十九节　连环拳

熊形出洞，与第十四节势同。

第三十节　连环拳

步步鹰熊，与第十五节势同。

第三十一节　连环拳

狸猫返身上树，与第十六节回身势同。

第三十二节　连环拳

仍归于右手崩拳，势同。

第三十三节　连环拳

归原三才势，停住休息。

注 释

① 连环拳回演：这一节是回演第一势——进步崩拳，以下各势参看前面各节说明即可。

第七章　五行生克拳术讲义

五拳者，五行也。五行有生、有克，而五拳亦有生克之理，故有五行生克拳之谓也。夫五行，火生于寅，旺于午，绝在亥。亥属水，故克火。水生于申，旺于子，绝在己[①]。己[②]属土，故克水。木生于亥，旺于卯，绝在申。申属金，故克木。金生于己[③]，旺于酉，绝在丙。丙属火，故克金。盖土生旺于戊己[④]，而衰败在卯木。如金能生水，水能生木，木能生火，火能生土，土能生金。相反者为克，顺者为生。然五拳生克之义，阴阳消长之理，如循环之无端，拳术运用之无穷也。[⑤]五行拳合一演习，是谓之连环；单习，是知致格物[⑥]。总之在明明德，在止于至善[⑦]而已。

先哲云：为金形止于劈[⑧]，为木形止于崩，为水形止于蹼，为火形止于炮，为土形止于横。五行各用其所当，于是明心见性，至止于至善。故拳明五行生克变化，则进道矣。[⑨]

注释

① 已：原文“己”误，当为“已”。

② 已：原文“己”误，当为“已”。

③ 已：原文“己”误，当为“已”。

④ 戊已：原文“戊己”误，当为“戊已”。

⑤ 然五拳生克……运用之无穷也：然则五种拳法的相生相克的关系，其中的阴阳消长的道理，就像物体沿着圆环运动而没有端点，又像拳术在运用上的无穷无尽。

⑥ 知致格物：当为“致知格物”，变革事物，达到对事物性质和规律的认识。出自《礼记·大学》。

⑦ 在明明德，在止于至善：这里是说，练习五行拳、五行连环拳的目的，是要彰明我们天赋的良能，使我们的身心达到最完善的境界。明德，天赋的善性。至善，最完美。止于，达到。出自《礼记·大学》。

⑧ 为金形止于劈：金行的至善是劈拳。下面各句意思同此。

⑨ 五行各用……则进道矣：能够把五行拳恰当地运用于技击，就能“明心见性”，进而达到“至善”。所以掌握了五行拳的生克变化，就进入“道”了。明心见性，佛教禅宗的主要修炼方法。意思是说，“心”是可以转变的（即由迷到悟，由昧到明），但“性”是永远不变的，因此只要悟得了自心本性（即佛性），就能成佛。这里是说，通过练习五行生克拳，就能去除自己心中对于拳术用法的蒙昧，得到拳的真理。

第一节　五行生克拳合演

预备，甲乙二人，上下合手对舞。甲上手，乙下手，[1]均站三才

势。乙先进步发手打崩拳，甲两足与手同时往回退步，用左手扣乙的右拳，右手仍停在右肋。(图46)

乙　　　　甲

图46　第一图

注 释

① 甲上手，乙下手：甲为上手，乙为下手。即甲（黑衣者）在右，乙（白衣者）在左。

第二节　五行生克拳合演

乙再将左手发出打崩拳，甲随[1]将左足尖向外斜横着进步，左手同时向里合劲，与鹰抓出手势相同，蹭至乙的左手外边，手心朝下扣住乙的左手，右手从右肋顺自己的左肱往前劈出，劈乙的头、面、肩、脖。右足与手同时[2]进至乙的左足外后边落下[3]。乙崩拳，甲劈

拳[④]。崩拳属木，劈拳属金，故劈拳能破崩拳，谓之金克木。（图 47）

图 47　第二图

注 释

① 随：随即。

② 右足与手同时：右脚在手劈出的同时。

③ 进至乙的左足外后边落下：这是封闭对方的下盘。

④ 乙崩拳，甲劈拳：乙为崩拳，甲为劈拳。

第三节　五行生克拳合演

乙两足不动，随[①]将左拳手腕往上拧翻，翻的手心朝外，高与眉齐，右手拳向甲的心口窝发拳打出，谓之炮拳。（图 48）

图48　第三图

崩拳属木，炮拳属火，木能生火，故崩拳能变炮拳。炮拳属火，火克金，所以炮拳能破劈拳也。

注释

①随：随即，紧接着。

第四节　五行生克拳合演

甲随时[1]将右足撤步退回，左拳往下落，向里合劲，肘靠肋，压住乙的右手；自己右手亦同时抽回右肋。[2]左足同时向乙的左足里边进步，右拳手心向上，顺着自己心口，与左足进步着地时[3]，向着乙的左手里边下颏蹿出。两目视乙的眼。此谓蹿拳能破炮拳。（图49）

乙　　　　　　甲

图49　第四图

劈拳属金，蹚拳属水，是金生水。劈拳能变蹚拳，水克火，故蹚拳能破炮拳也。

注 释

① 随时：同时。

② 将右足……抽回右肋：这是第一动。

③ 与左足进步着地时：在左脚进步着地的同时。

第五节　五行生克拳合演

乙右足微动不退，左足向后退一步。[1]右拳同时撤回右肋，左手亦同时斜着向甲的肘上胳膊横劲推出（图50）。

乙　　　　　　甲

图 50　第五图

用横劲破甲的直劲，故谓横拳破蹭拳。炮拳属火，横拳属土，火能生土，所以炮拳能变横拳。土克水，横拳所以能破蹭拳也。

注 释

① 乙右足微动不退，左足向后退一步：乙右脚稍微外扭不退，左脚后撤半步。

第六节　五行生克拳合演

甲左足向前垫步，右足跟步。右手同时向后拉回右肋，左手亦同时似箭一直冲着乙的心口击出，是谓左手崩拳。(图 51)

蹭拳性属水，崩拳性属木。水生木，是蹭拳能变崩拳。木克土，故崩拳能破横拳也。

乙　　　　甲

图 51　第六图

第七节　五行生克拳合演

乙再将左手退回左肋，左足向后退回一步①，右手同时发出，扣甲左拳。（图 52）

乙　　　　甲

图 52　第七图

注 释

① 左足向后退回一步：左脚退到右脚后。

第八节　五行生克拳合演

甲再向前进步，打右手崩拳。乙将右足撤回一步[①]，右手退回右肋，左手伸出扣甲右拳。（图 53）

图 53　第八图

注 释

① 右足撤回一步：右脚撤到左脚后。

第九节　五行生克拳合演

甲仍前进步出手直击，打左手崩拳。乙两足向后退步[1]，左手同时向甲左肱外边伸出扣住右拳[2]。（图 54）

乙　　　　甲

图 54　第九图

注释

① 两足向后退步：右脚先撤，左脚再跟撤。

② 扣住右拳：原文“扣住右拳”误，当为“扣住左拳”。

第十节　五行生克拳回身合演

乙右足向甲左足外边进步，右手拳向甲脖项劈出。与甲第二图出

手相同。(图 55)

乙　　　　　　　甲

图 55　第十图

回身再演时，一切身、手、步法，甲乙二人互相变换①。甲循②乙的法势，乙循甲的法势。每演击一蹚，甲乙则互相换势一次。如此循环不已，变化亦属③无穷。故圣云，大而化之之谓神，神而不知之之谓圣。④又曰，唯天下至诚惟能化，⑤正是五拳变化之妙谛也。

注 释

① 变换：交换。

② 循：按照。

③ 亦属：也算得上。

④ 故圣云……神而不知之之谓圣：所以圣人说，大而且能感化天下之人叫作圣，圣而且高深莫测叫作神。

按：出自《孟子·尽心下》，这里引用有误，原文为："可欲之谓善，有诸已之谓信。充实之谓美，充实而有辉之谓大，大而化之之谓圣，圣而不可知之之谓神。”

⑤ 又曰，唯天下之至诚惟能化：（圣人）又说，只有天下最真诚的人能够化育万物。惟，应为“为”。这是《中庸》里的话。

按：以上两句在本文中的意思是说，只有用至诚的心和态度去研习，才能够化育生长出高深的拳艺。诚心研练，狠狠功深，就能成为内劲充实而有光辉的“大人”；再大而化之，技臻化境，成为“圣人”；再进而成为神变不可测知的“神人”。古圣所讲的道理，也正是练习五行生克变化的妙谛。

新书预告

武学名家典籍丛书

孙禄堂武学集注

（形意拳学　八卦拳学　太极拳学　八卦剑学　拳意述真）

孙禄堂　著　　孙婉容　校注　　定价：288 元

杨澄甫武学辑注

（太极拳使用法　太极拳体用全书）

杨澄甫　著　　邵奇青　校注　　定价：178 元

陈微明武学辑注

（太极拳术　太极剑　太极答问）

陈微明　著　　二水居士　校注　　定价：218 元

（第一辑）

李存义武学辑注

（岳氏意拳五行精义　岳氏意拳十二形精义　三十六剑谱）

李存义　著　　阎伯群　李洪钟　校注　　定价：258 元

张占魁形意武术教科书

张占魁　著　　吴占良　校注

薛颠武学辑注

（形意拳术讲义上编　形意拳术讲义下编　象形拳法真诠　灵空禅师点穴秘诀）

薛　颠　著　　王银辉　校注　　　　　　　　　　定价：348 元

（第二辑）

陈鑫陈氏太极拳图说（配光盘）

陈　鑫　著　　陈东山　陈晓龙　陈向武　校注

董英杰太极拳释义

董英杰　著　　杨志英　校注

许禹生武学辑注

（太极拳势图解　陈氏太极拳第五路　少林十二式）

许禹生　著　　唐才良　校注

（第三辑）

李剑秋形意拳术

李剑秋　著　　王银辉　校注

刘殿琛形意拳术抉微

刘殿琛　著　　王银辉　校注

靳云亭武学辑注

（形意拳图说　形意拳谱五纲七言论）

靳云亭　著　　王银辉　校注

（第四辑）

武学古籍新注丛书

王宗岳太极拳论

李亦畬　著　　二水居士　校注　　定价：50 元

太极功源流支派论

宋书铭　著　　二水居士　校注　　定价：68 元

太极法说

二水居士　校注　　定价：65 元

（第一辑）

手战之道

赵　晔　沈一贯　唐顺之　何良臣　戚继光　黄百家　黄宗羲　著

王小兵　校注

（第二辑）

百家功夫丛书

张策传杨班侯太极拳108式　（配光盘）

张　喆　著　　韩宝顺　整理　　定价：48 元

河南心意六合拳　（配光盘）

李洳波　李建鹏　著　　定价：79 元

（第一辑）

形意八卦拳

贾保寿　著　　武大伟　整理　　定价：49 元

张鸿庆传形意拳练用法释秘　　邵义会　著
王映海传戴氏心意拳精要　　王映海　口述　　王喜成　主编
戴氏心意拳功理秘技　　王　毅　编著

（第二辑）

华岳心意六合八法拳　　张长信　著
程有龙传震卦八卦学　　奎恩凤　著
杨振基传太极拳内功心法　　胡贯涛　著
刘晚苍内家功夫及手抄老谱　　刘晚苍　刘光鼎　刘培俊　著

（第三辑）

民间武学藏本丛书

守洞尘技　　崔虎刚　校注
通臂拳　　崔虎刚　校注
心一拳术　　李泰慧　著　　崔虎刚　校注
六合拳谱　　崔虎刚　校注
少林论郭氏八翻拳　　崔虎刚　校注

（第一辑）

心意拳术学　　戴　魁　著　　崔虎刚　校注
武功正宗　　买壮图　著　　崔虎刚　校注
太极纲目　　崔虎刚　校注
神拳拳谱　　崔虎刚　校注
精气神拳书·王堡枪　　崔虎刚　校注

（第二辑）

老谱辨析点评丛书

再读浑元剑经　　马国兴　著

再读王宗岳太极拳论　　马国兴　著

再读杨式老谱　　马国兴　著

再读陈氏老谱　　马国兴　著

（第一辑）

民国武林档案丛书

尚武一代——中华武士会健者传　　阎伯群　编著

太极往事　　季培刚　著

（第一辑）

拳道薪传丛书

三爷刘晚苍——刘晚苍武功传习录

刘源正　季培刚　编著　　定价：54 元

慰苍先生金仁霖——太极传心录　　金仁霖　著

习武见闻与体悟　　陈惠良　著

（第一辑）

图书在版编目（CIP）数据

薛颠武学辑注. 形意拳术讲义. 上编/薛颠著；王银辉校注. ——北京：北京科学技术出版社，2017.1

ISBN 978-7-5304-8438-8

Ⅰ.①薛… Ⅱ.①薛… ②王… Ⅲ.①武术-研究-中国 ②形意拳-研究-中国 Ⅳ.①G852

中国版本图书馆 CIP 数据核字（2016）第 132123 号

薛颠武学辑注——形意拳术讲义（上编）

作　　者：薛　颠
校 注 者：王银辉
策　　划：王跃平　常学刚
责任编辑：李金莉　苑博洋
责任校对：贾　荣
责任印制：张　良
封面设计：张永文
封面制作：木　易
版式设计：王跃平
出 版 人：曾庆宇
出版发行：北京科学技术出版社
社　　址：北京西直门南大街 16 号
邮政编码：100035
电话传真：0086-10-66135495（总编室）
0086-10-66113227（发行部）　0086-10-66161952（发行部传真）
电子信箱：bjkj@bjkjpress.com
网　　址：www.bkydw.cn
经　　销：新华书店
印　　刷：保定市中画美凯印刷有限公司
开　　本：787mm×1092mm　1/16
字　　数：162 千字
印　　张：19.25
版　　次：2017 年 1 月第 1 版
印　　次：2017 年 1 月第 1 次印刷
ISBN 978-7-5304-8438-8/G·2478

定　　价：86.00 元